MON FRÈRE EST UN
LOUP-GAROU

MON FRÈRE EST UN LOUP-GAROU

AH-LOUP L'AMOUR !

Sienna Mercer

Traduit de l'anglais par
Patricia Guekjian

Remerciements spéciaux à Stephanie Burgis

Copyright © 2013 Working Partners Limited
Titre original anglais : My Brother the Werewolf: Puppy Love !
Copyright © 2014 Éditions AdA Inc. pour la traduction française
Cette publication est publiée en accord avec Working Partners Limited., Londres, Royaume-Uni

Éditeur : François Doucet
Traduction : Patricia Guekjian
Révision linguistique : Nicolas Whiting
Correction d'épreuves : Nancy Coulombe, Catherine Vallée-Dumas
Montage de la couverture : Mathieu C. Dandurand
Illustration de la couverture : © Kevin Cross
Mise en pages : Mathieu C. Dandurand
ISBN papier : 978-2-89733-771-1
ISBN PDF numérique : 978-2-89733-772-8
ISBN ePub : 978-2-89733-773-5
Première impression : 2014
Dépôt légal : 2014
Bibliothèque et Archives nationales du Québec
Bibliothèque Nationale du Canada

Éditions AdA Inc.
1385, boul. Lionel-Boulet
Varennes, Québec, Canada, J3X 1P7
Téléphone : 450-929-0296
Télécopieur : 450-929-0220
www.ada-inc.com
info@ada-inc.com

Diffusion
Canada : Éditions AdA Inc.
France : D.G. Diffusion
Z.I. des Bogues
31750 Escalquens — France
Téléphone : 05.61.00.09.99
Suisse : Transat — 23.42.77.40
Belgique : D.G. Diffusion — 05.61.00.09.99

Imprimé au Canada   SODEC

Participation de la SODEC.
Nous reconnaissons l'aide financière du gouvernement du Canada par l'entremise du Fonds du Livre du Canada (FLC) pour nos activités d'édition.
Gouvernement du Québec — Programme de crédit d'impôt pour l'édition de livres — Gestion SODEC.

Catalogage avant publication de Bibliothèque et Archives nationales du Québec et Bibliothèque et Archives Canada

Mercer, Sienna

[My brother the werewolf. Français]
Mon frère est un loup-garou
Traduction de : My brother the werewolf.
Sommaire : t. 1. Criez au loup! -- t. 2. Ah-loup l'amour!.
Pour les jeunes de 9 ans et plus.
ISBN 978-2-89733-768-1 (vol. 1)
ISBN 978-2-89733-771-1 (vol. 2)

I. Guekjian, Patricia. II. Mercer, Sienna. Cry wolf!. Français. III. Mercer, Sienna. Puppy love. Français. IV. Titre. V. Titre : My brother the werewolf. Français. VI. Titre : Criez au loup!. VII. Titre : Ah-loup l'amour!.

PS8626.E745M914 2014   jC813'.6   C2014-940602-9
PS9626.E745M914 2014

Pour Patrick et Jamie, avec amour

CHAPITRE 1

Ne panique surtout pas, s'ordonna Justin Packer. *Ce n'est* pas *un rendez-vous !*

Oui, il partageait une banquette au Bœuf et bonjour avec Riley Carter. Oui, elle était la fille pour laquelle il avait un faible depuis près d'un an. Et non, il n'y avait personne d'autre à table avec eux. Mais ça ne voulait pas dire que c'était un rendez-vous *officiel…*

N'est-ce pas ?

Les amis mangent ensemble tout le temps, se dit-il. *Manger, c'est essentiel !*

Bientôt, il lui demanderait de sortir avec lui. Mais avant d'être prêt à demander à Riley d'avoir un vrai rendez-vous avec lui, il devait traiter tout ça comme un match de football. Il devait se préparer — avoir un plan de match. Il devait apprendre comment garder son calme lorsqu'il était près d'elle, même quand elle lui souriait comme elle le faisait à ce moment-là, avec son regard intense qui semblait briller à travers les longues mèches de cheveux blonds qui retombaient en désordre sur son visage. Il fallait qu'il trouve un moyen d'être plus… *suave*.

Ouais, il serait totalement suave lorsqu'il lui demanderait d'avoir un *vrai* rendez-vous avec lui… un jour. Pour l'instant, ils pouvaient demeurer amis. Il n'y avait pas de pression entre deux amis.

Justin se détendit et prit son hamburger, mais il se figea en le ramenant vers sa bouche quand il vit Riley placer ses mèches rebelles derrière ses oreilles. Elle était vraiment très belle.

Une minute. Est-ce qu'elle essaie d'être belle ? Pour moi ?

Son estomac se noua.

Et si jamais c'était devenu un rendez-vous sans que je le sache ? Est-ce qu'elle juge mes compétences en rendez-vous ? Je ne me suis pas préparé pour ça ! Je n'ai pas de plan de match ! Je ne peux pas être jugé quand ce n'est même pas un rendez-vous ! Et ça n'en est pas un. C'est vraiment…

— Pas un rendez-vous! lança-t-il à travers son hamburger.

Il grimaça lorsqu'il se rendit compte qu'il avait dit ça à voix haute.

— Justin?

Riley le regardait en fronçant les sourcils.

— Es-tu en train de t'étouffer?

— Moi?

Justin avala sa bouchée avec difficulté.

— Non! Tout est cool. Très cool. Totalement, absolument, vraiment…

Il sentit ses joues rougir alors qu'elle haussait les sourcils. Il déposa son hamburger.

— Euh… c'est cool qu'on puisse se tenir ensemble comme ça, comme des amis… pas vrai? ajouta-t-il.

Riley retira la main de ses cheveux et baissa le regard.

— Mmh, je suppose. Si c'est ce que tu penses.

Justin savait que si cette conversation avait été un ballon de football, il l'aurait porté droit dans un mur de défense, et là, il allait devoir utiliser tout son talent pour trouver une autre manière de franchir la ligne. Il devait trouver un autre sujet de conversation.

— Regarde Daniel et Debi ! dit-il en les pointant à l'autre bout du restaurant. Ils ne font que se tenir ensemble, tout comme toi et moi…

Quoique… Justin plissa les yeux en regardant son jumeau, qui portait ses vêtements noirs débraillés habituels, assis face à Debi, l'amie de Riley. Avec son style sombre de musicien rock, Daniel semblait être l'opposé total de Debi, la meneuse de claque enthousiaste, mais ils ne faisaient pas que partager un repas ; ils étaient allés voir le nouveau film de Jackson Caulfield, *The Groves,* un peu plus tôt.

Je viens de foncer tout droit dans les unités spéciales, se dit-il. *Ces deux-là sont assurément en plein rendez-vous, ce qui veut dire que Riley doit penser que nous le sommes aussi !*

— Euh, Justin ?

La voix de Riley le sortit de sa panique.

— Tu sembles un peu nerveux.

— Moi ? Nerveux ? Jamais de la vie !

Justin saisit ce qui restait de son hamburger et en prit une énorme bouchée.

— Je ne suis jamais nerveux, dit-il la bouche pleine.

Puis, il regarda son assiette vide et faillit s'étouffer à nouveau.

— Oh, dit Riley. Je croyais que c'était la nervosité qui te faisait avaler ta bouffe comme un loup affamé.

Loup !

Si seulement c'était ça, se dit Justin en soupirant. Ça rendrait ma vie tellement plus facile.

En tant que seul non-loup-garou à la ligne d'attaque de l'équipe de football de l'école secondaire Pine Wood, il devait faire tout son possible pour muscler son corps d'humain ordinaire et se rendre plus fort. Cependant, il ne pouvait pas expliquer tout ça à Riley. Ce serait exactement le contraire de garder le secret de l'existence des loups-garous, secret que *personne* ne devait découvrir. La seule raison pour laquelle Justin était au courant était que son père était un loup-garou et que jusqu'à un mois auparavant, il avait pensé qu'il allait en devenir un aussi.

Mais le « gène lupin » de la famille avait sauté Justin et avait plutôt touché son jumeau.

— J'essaie juste de prendre un max de calories, marmonna-t-il. Pour le match du *Homecoming* la semaine prochaine.

Heureusement, le fait de mentionner le *Homecoming* avait été assez pour déclencher le célèbre « mode organisation » de Riley. Elle se rassit d'un seul coup, les yeux brillant d'excitation.

— Je ne peux pas croire qu'il ne reste qu'une semaine ! Il reste tant à faire ! J'ai fait des tonnes et des tonnes de plans, mais…

— Toi ? Des plans ? *Jamais de la vie.*

Justin secoua la tête en souriant.

— Tu sais que les devoirs vont être débiles, cette année. Pourquoi tu ne prendrais pas ça mollo ? Tu pourrais prendre une année de congé de ton poste d'organisatrice principale de Pine Wood.

Riley se contenta de le regarder, puis les deux éclatèrent de rire.

Rendez-vous ou non, Justin connaissait Riley depuis la maternelle, et il savait que le jour où elle cesserait d'organiser *tout* sur son passage serait le jour où chacun des gros loups-garous coriaces de l'équipe de football demanderait des sandwichs à la laitue et aux concombres comme repas d'avant match.

— Laisse-moi te raconter ce à quoi j'ai pensé… commença Riley.

Justin sentit un tiraillement soudain sur son poignet et sursauta. Lorsqu'il baissa le regard, il cligna des yeux deux fois pour être certain qu'il voyait vraiment ce qu'il croyait voir.

Daniel ?

Le jumeau de Justin était accroupi à côté de sa banquette, hors du champ de vision de Riley, qui s'affairait à sortir deux planchettes à pince de son sac à bandoulière. Lorsque Justin ouvrit la bouche pour parler, Daniel secoua la tête violemment et leva un doigt devant sa bouche, après quoi il désigna la porte d'un geste qui voulait manifestement dire : « Dehors. Maintenant ! »

Justin hocha la tête. Incrédule, il regarda Daniel s'éloigner, toujours penché.

Son « non-rendez-vous » doit se dérouler encore plus mal que le mien…

Heureusement, Riley ne semblait pas avoir compris ce qui se passait. Elle était totalement concentrée sur les articles qu'elle cochait sur sa liste de trois pages.

— … et bien sûr, le bal du *Homecoming* doit être absolument parfait, donc…

— Attends, quoi ?

Justin cligna des yeux.

— Le *bal*? Je croyais que tu demandais de l'aide pour organiser des choses pour le *match* du *Homecoming*!

— As-tu oublié à qui tu parles? demanda Riley en levant les yeux au ciel. Je serai évidemment bénévole pour les deux.

— Évidemment, renchérit Justin en secouant la tête. J'aurais dû le savoir.

Lorsque leurs regards se rencontrèrent, Justin eut un moment d'étourdissement. Les yeux de Riley avaient une certaine lueur qui l'attirait et lui donnait envie de se pencher sur la table, de s'approcher d'elle et de…

Ressaisis-toi, le p'tit loup!

C'est ce que l'entraîneur Johnston disait aux joueurs de football lorsqu'ils perdaient leur concentration. Justin prit une grande respiration en repoussant son envie soudaine d'abandonner tous ses plans et de faire de cette sortie un vrai rendez-vous.

Il avait promis à Daniel de le rencontrer dehors. Son jumeau avait besoin de lui! Et il devait respecter son plan.

N'oublie pas la planification d'avant match, euh, rendez-vous!

— Je reviens tout de suite, dit-il à Riley en se levant. D'accord?

— Oh. D'accord.

Elle se pencha vers l'arrière, et ses lèvres se recourbèrent vers le bas, comme pour montrer sa déception. Cependant, avant même d'avoir atteint la porte du restaurant, il la vit se pencher sur sa liste du *Homecoming*, totalement absorbée.

Il retrouva Daniel caché près du Bœuf et bonjour, hors de vue des fenêtres, dans l'entrée d'un magasin d'occasion qui semblait se spécialiser dans les livres à couvertures rigides poussiéreuses et dans les bracelets à breloques trop colorés.

— Qu'est-ce qui se passe?

— Enfin!

Les yeux de Daniel étaient affolés.

— Tu dois me sauver. Regarde!

Il roula la longue manche de sa chemise noire décorée du logo brodé de son groupe, Dans la bergerie. Des poils épais recouvraient ses bras, un signe manifeste de panique chez les loups-garous adolescents.

Justin grimaça pour montrer sa sympathie, oubliant ses propres problèmes.

— Tu vas devoir reprendre du poil de la bête, hein?

Puis, il rit de sa propre blague.

— Pourrais-tu prendre ça au sérieux, s'il te plaît?

Daniel le fusilla du regard en déroulant sa manche, puis il la roula encore et gratta le dos d'une de ses mains.

— Je suis vraiment dans de beaux draps! Si je dois m'asseoir en face d'elle pour une seule minute de plus, des poils vont se mettre à pousser sur mes mains et mon visage.

Justin pouvait voir les canines de Daniel pousser au fur et à mesure que sa panique augmentait.

— Comment vas-tu faire pour avoir un vrai rendez-vous avec Debi si tu te transformes en loup chaque fois que tu es près d'elle?

— Je vais trouver une solution, dit Daniel. D'une manière ou d'une autre.

Ses épaules tombèrent.

— Je dois avoir quelques rendez-vous d'entraînement de plus, tu sais?

Justin le savait.

— Alors... commença Justin en haussant les sourcils. Que vas-tu faire aujourd'hui? Te sauver?

— Je ne peux pas juste l'abandonner, dit Daniel. Ça serait méchant. Je vais continuer le rendez-vous...

Il regarda Justin avec un regard de détermination pure.

Justin fut bouche bée lorsqu'il comprit ce que Daniel disait sans le dire.

— Oublie ça ! C'est *ton* rendez-vous ! Pas le mien !

— C'est seulement jusqu'à ce qu'elle finisse de manger, dit Daniel. Veux-tu vraiment que je sois responsable d'avoir dévoilé le secret des loups-garous au monde entier ?

Justin gémit.

— Tu sais bien que je ne veux pas. Mais…

— Je l'ai fait pour toi, dit Daniel. As-tu oublié ton premier match de football ?

Daniel avait sauvé son frère en le remplaçant lors du premier match de la saison.

— D'accord, dit-il. Mais on doit échanger nos chemises. Riley est peut-être distraite par toute sa planification, mais même *elle* le remarquerait si « je » revenais avec des vêtements de Dans la bergerie !

Daniel hésita.

— Mais… C'est une édition limitée.

Justin avança et commença à tirer sur le collet de son frère.

— Évidemment. T'en as seulement fait *un* !

Lorsqu'il s'assit sur la banquette de Justin et Riley, Daniel se sentait déjà mieux. Sa peau ne lui démangeait plus, ses ongles ne poussaient pas, ses oreilles n'avaient pas changé de forme et ses dents n'élançaient pas. Il était totalement, complètement détendu.

Enfin, il l'était jusqu'à ce que Riley lève le regard de la liste dans ses mains et se mordille la lèvre.

— Justin?

Daniel ne répondit pas.

Riley cligna des yeux en le regardant.

— Justin?

Une voix dans sa tête hurla : «Tu n'es pas Daniel en ce moment, idiot!»

— Ouais? lâcha-t-il. Je suis Justin.

Riley fronça les sourcils et plissa les yeux un instant avant de secouer la tête.

— Penses-tu que ton frère péterait les plombs si je lui suggérais que notre groupe passe une audition pour jouer au bal du *Homecoming*?

— Quoi?!

Daniel sentit sa mâchoire pendre.

— Dans la bergerie?

Il avait formé le groupe l'été précédent, et Riley, la fille enthousiaste et BCBG, avait étonné tout le monde lorsqu'elle avait été choisie à l'audition pour devenir la chanteuse du groupe.

— Ouais, dit-elle. À moins qu'on ait formé un autre groupe comme projet secondaire ? C'est sûr que ce serait mon genre de faire ça, mais je pense que je m'en serais souvenue.

Daniel secouait la tête, incrédule.

— Tu veux qu'on… Tu veux *qu'ils* jouent au *Homecoming* ? *Pour de vrai ?*

Elle hocha la tête. Daniel se sentit soudainement étourdi.

Sois Justin, s'ordonna-t-il. *Sois Justin.*

Justin ne crierait jamais « Oublie ça ! » en réponse à cette question. Justin ne questionnerait probablement même pas quoi que ce soit qui rendrait Riley heureuse, même s'il s'agissait de proposer au groupe de jouer à un festival de campagne.

Daniel tenta de sourire comme Justin.

Ça ne devrait pas être compliqué, se dit-il, *étant donné qu'on a le même visage.*

Mais il entendit quand même la tension dans sa voix lorsqu'il répondit.

— Tu peux toujours le lui demander, dit-il. Mais je dois t'avertir que Daniel a des opinions… particulières sur les activités scolaires traditionnelles comme le *Homecoming*.

— Des opinions particulières, mmh ?

Riley tapait son stylo contre ses lèvres.

— Eh bien, je suis persuadée que je pourrai le convaincre. Je vais préparer de super bons arguments.

Daniel serra la mâchoire pour retenir le hurlement de protestation qui voulait s'en échapper. Il lança un regard désespéré à l'assiette de Justin pour se changer les idées. Elle était vide.

Grrrrr…

Il avait été si nerveux avec Debi qu'il n'avait pas pris une seule bouchée de son propre repas. Il était affamé ! Mais s'il commandait autre chose, Riley pourrait penser que Justin était bizarre. Daniel ne pouvait pas lui faire ça.

Il s'aperçut qu'il fixait l'assiette depuis un bon moment seulement lorsque Riley se racla la gorge.

Oh, oh.

— Justin ?

Riley secouait la tête, le front plissé par le souci.

— As-tu *encore* faim ?

— Non, marmonna Daniel. Puis, son estomac grogna si fort qu'il dut parler pour camoufler le son.

— Je vais bien ! Appétit totalement normal. Vraiment.

— Aaah, d'accord, dit Riley. Si tu le dis.

— Absolument.

Daniel se força à sourire.

Distraction ! Distraction !

— Alors, dit-il en désignant la liste qu'elle tenait. Est-ce que tu as choisi un comité en particulier ?

Riley le fixa.

— Je te l'ai dit il y a cinq minutes. Je vais donner mon nom pour le poste d'organisatrice pour le match et le bal du *Homecoming*. Tu t'en souviens ?

— Oh ! dit Daniel en grimaçant. C'est vrai.

Riley semblait blessée.

— Tu ne m'écoutais pas ?

— Bien sûr que je t'écoutais !

J'aurais peut-être dû demander à Justin de me donner un compte-rendu avant de prendre sa place.

— Rappelle-moi donc ce que tu as planifié jusqu'ici.

C'était le moyen le plus sûr d'encourager Riley à parler. Alors qu'elle commençait à lui faire une description à cent milles à l'heure de ses plans, Daniel se déconnecta et s'affala sur la banquette.

Maintenant, allons voir comment Justin se débrouille en tant que moi.

Il déploya ses sens et concentra son ouïe super aiguë de loup sur les voix qui venaient de la banquette de Debi et Justin.

La voix de Debi était toujours aussi douce, mais pour une quelconque raison, elle semblait un peu désespérée.

— Eh bien, est-ce que tu as aimé le film au moins ?

Il y eut un long silence.

— Ouais, finit par dire Justin avec un ton qu'il aurait adopté à des funérailles.

Ouais ?

Daniel grimaça.

T'as pas trouvé mieux que ça à dire ?

La voix de Debi était vraiment tendue, désormais.

— Et le cinéma ? Je trouve que les nouveaux écrans sont géniaux, pas toi ?

Sa question fut suivie d'un autre long silence qui fut de la pure torture aux oreilles de Daniel. Enfin, *enfin*, il entendit son frère répondre.

— Eh bien, ils ne… *rockent* pas vraiment. Tu sais ce que j'veux dire ?

Daniel grimaça et se laissa glisser dans son siège.

Personne au monde ne saurait ce qu'il veut dire !

Justin pensait probablement qu'il avait l'air artistique et émouvant, mais en fait, il ressemblait davantage à la personne la plus déprimée de la planète !

Je ne parle pas comme ça, se dit Daniel. *Enfin, je ne crois pas !*

— Justin ?

La voix de Riley le fit sortir de sa torpeur.

— Ouais… je suis Justin.

Daniel leva les yeux et vit son regard inquiet.

— Tu n'aimes pas cette idée ? demanda-t-elle.

— Ah…

Daniel essaya désespérément de se souvenir de ce qu'elle venait de dire. Il avait été si occupé à écouter Justin et Debi qu'il n'avait pas entendu un seul mot de ce qu'elle avait dit.

Daniel gémit silencieusement et s'avoua la vérité : il n'était pas fait pour les rendez-vous… même ceux qui n'étaient pas les siens !

Comment avait-il même pu imaginer pouvoir sortir avec Debi ?

De l'autre côté du restaurant, Justin essayait de ne pas grimacer en prenant la plus petite bouchée possible du sandwich de Daniel.

Je ne peux pas croire qu'il m'a laissé tout ça à manger !

Après l'énorme burger et les frites qu'il avait engloutis sur sa propre banquette, il était presque sûr que son estomac allait exploser s'il prenait une seule bouchée de plus.

C'est un désastre total, se dit-il.

D'après l'expression sur le visage de Debi, il était sûr à quatre-vingt-dix-neuf pour cent qu'il nuisait à son frère au lieu de l'aider.

Au moins, elle n'était pas partie… pas encore. Mais d'après son expression,

Justin avait bien peur qu'elle commence a y penser.

— Alors…

Elle prit une grande respiration.

— Tu as de bons groupes à me suggérer ? Lesquels aimes-tu ?

— Euh…

Justin hésita.

Il n'avait jamais été bon pour faire semblant de savoir quoi que ce soit à propos de la musique. Toutes les chansons que Daniel faisait jouer sans arrêt à la maison n'étaient que du bruit pour Justin. Il n'avait aucune idée de l'identité de ces groupes. Pour lui, ils se ressemblaient tous. Ils paraissaient tous misérables, en colère et très prêts à le crier sur tous les toits.

— Moi… j'aime… tout ce qui *rocke,* dit-il en essayant de faire une grimace d'artiste.

Malheureusement, il était convaincu qu'il avait l'air d'avoir mal au ventre, ce qui était vrai. Pouvait-il encore avaler un peu du repas de Daniel ?

— Comme… ? l'encouragea Debi.

— Euh…

Justin, désespéré, enfonça le sandwich dans sa bouche même si son estomac criait en protestation. Il fallait qu'il gagne du temps pour penser !

Vas-y, cerveau ! Hier soir, maman a demandé à Daniel ce qu'il écoutait, et Daniel a dit… Il a dit…

Non. Rien à faire. Justin avait ignoré toute la conversation. Il avait été trop occupé à penser au match du *Homecoming*. Son père et lui avaient fini par avoir tout un débat sur les tactiques d'entraînement pendant que sa mère et Daniel parlaient de musique.

Génial, se dit Justin. *Je vais devoir manger tout ce sandwich juste pour avoir une excuse pour ne pas parler !*

Puis, quelque chose capta son attention de l'autre côté de la pièce, et il camoufla un soupir de soulagement.

Daniel sortait du Bœuf et bonjour, accroupi comme avant, en arrêtant juste assez longtemps pour faire signe à Justin de le suivre.

Justin déposa le sandwich sur l'assiette.

— Désolé. Je reviens tout de suite. Je dois juste…

Il fit un geste vague, espérant qu'elle trouve une explication d'elle-même.

— Pas de problème, dit Debi en soupirant. Vraiment. Pas de problème.

Oh, oh.

Justin grimaça en s'éloignant rapidement.

Quand on dit « pas de problème » deux fois dans le même souffle, ça veut dire qu'il y a sans aucun doute un problème.

Quelques instants plus tard, il retirait la chemise noire débraillée à l'effigie du groupe de son frère et reboutonnait la sienne avec soulagement. Malheureusement…

— Hé ! s'exclama Justin. Tu l'as froissée !

— C'est probablement à force de marcher accroupi.

Daniel haussa les épaules en remettant sa propre chemise.

— La mienne est probablement froissée aussi. Et alors ?

— Mais personne ne peut voir la différence avec la *tienne*.

Justin secoua la tête et fit de son mieux pour défroisser sa chemise.

— Peu importe. Je suis juste content de retourner à ma place. Frérot, ne me demande plus jamais de faire ça.

— T'inquiète, dit Daniel en grimaçant. Je ne le ferai plus. Mais regarde! Je suis revenu à la normale! Plus de poils! Alors, merci. Tu m'as vraiment sauvé la vie.

— Ouais, dit Justin en essayant d'avoir l'air confiant. Je t'ai sauvé. C'est ce que j'ai fait. Tu devrais commencer par parler de tes groupes favoris. Debi semble vraiment vouloir des recommandations.

— Génial! Voilà le genre de conversation où j'excelle!

Lorsqu'il se glissa dans le siège en face de Riley quelques instants plus tard, Justin était plus que prêt à mettre fin à ce «non-rendez-vous».

— Hé! Ça te tente de partir?

— Quoi?

Riley releva brusquement le regard de la pile de planchettes à pince qu'elle étudiait. Pendant l'absence de Justin, elles s'étaient mystérieusement multipliées; il y en avait désormais quatre devant elle. Et à ce moment-là, elle les ignorait pour le regarder fixement avec un air ahuri.

— Tu veux déjà partir? Je croyais qu'on allait prendre un dessert. Ton estomac criait il y a un instant à peine… et ils font la meilleure crème glacée en ville, ici!

— Euh…

L'estomac de Justin émit un gazouillement d'avertissement.

Attention ! Attention ! Explosion imminente !

Les yeux bruns de Riley étaient rivés sur lui. Il ravala sa salive en étouffant un gémissement. Il savait à quel point elle aimait la crème glacée.

— Bien sûr, marmonna-t-il, et il se rassit, résigné. J'avais juste oublié.

— Oh, génial ! dit Riley.

Justin fit son meilleur faux sourire et fit signe à la serveuse.

— Deux coupes glacées, s'il vous plaît !

— Des grosses, ajouta Riley.

Elle se remit rapidement à faire des dessins sur l'une des planchettes à pince tandis que Justin tentait de se préparer pour *encore plus de nourriture*.

Ça devait être ça que les chanteurs à l'eau de rose voulaient dire par « L'amour, ça fait mal ».

CHAPITRE 2

Aussitôt que les jumeaux arrivèrent à la maison sains et saufs — et surtout seuls —, Daniel se dirigea directement à la cuisine.

— Enfin ! Je pensais ne jamais me rendre jusqu'ici !

Il se mit à fouiller le réfrigérateur pour trouver des garnitures à sandwich.

— *Je* ne peux pas croire que tu manges *encore* !

Justin se laissa tomber sur une chaise à la table de la cuisine et ferma les yeux.

— Surtout après tout ce qu'on a mangé au Bœuf et bonjour !

— Surtout après tout ce que *tu* as mangé, le corrigea Daniel.

Il s'assit en face de Justin et commença à étaler de la moutarde et de la mayonnaise sur son pain, salivant à cause des odeurs.

— Tu avais déjà mangé ton burger lorsque j'ai pris ta place, tu te rappelles ? Et lorsque je suis revenu à ma table, Debi avait demandé à la serveuse de débarrasser les assiettes ! Apparemment…

Il lança un regard entendu à Justin alors qu'il mettait les viandes froides dans son sandwich.

— Je ne sais pas comment, mais elle a eu l'impression que je n'avais pas d'appétit.

— Ahhhhhh.

Justin reposa sa tête sur la table en lâchant un gémissement.

— Tu n'as aucune idée de la chance que tu as. Riley pensait que j'étais affamé ! Je sais que je voulais me muscler pour le football, mais si ça continue comme ça, je vais pouvoir faire les essais pour l'équipe de sumo à la place !

Daniel ricana en imaginant son frère en sumo.

— T'as pas de chance, dit-il à travers une bouchée de son sandwich. Pine Wood n'a pas d'équipe de sumo.

Justin le fusilla du regard en plissant les yeux.

— Arrête, tu sais ce que je veux dire. Je suis en train de mourir, frérot!

— Une grosse coupe glacée n'a jamais tué qui que ce soit.

Daniel fit un grand sourire en prenant une autre bouchée.

— Je devrais peut-être prendre une photo et l'envoyer au journal de l'école : le grand et fort joueur de football tué par son premier rendez-vous.

— Ne dis pas ça comme ça!

Les yeux de Justin s'ouvrirent subitement. Il se leva brusquement avec un air scandalisé.

— C'était un «non-rendez-vous». Et de toute façon...

Avant qu'il puisse continuer sa phrase, la porte de la cuisine s'ouvrit.

— Te voilà!

C'était leur père, vêtu d'un survêtement gris en lambeaux. Il rassemblait à un gars d'un film de boxe des années soixante-dix. Il portait même un bandeau vert.

— Je t'ai cherché partout!

Daniel ne s'aperçut qu'au bout d'un moment qu'il regardait droit vers lui.

— Moi ?

Daniel cligna des yeux et prit une autre bouchée de son sandwich.

— Es-tu sûr que tu ne cherches pas Justin ? Si tu veux quelqu'un pour t'aider avec ton entraînement pour le marathon, c'est vraiment lui qui…

— Non, non, non !

Leur père secoua la tête. La moitié de ses cheveux était en bataille, comme s'il avait été pris dans un ouragan, ou alors comme s'il les avait tirés avec ses doigts.

— Tu dois être prêt. Il va y avoir un *rassemblement* demain soir.

— Un quoi ? demanda Justin en partageant un regard confus avec Daniel.

— Un rassemblement de *Lupin*s ! dit leur père avec impatience. Je dois y emmener mon fils loup-garou !

— Oh.

Daniel déglutit avec peine.

Oh, oh. Il faut croire que j'étais vraiment celui qu'il voulait voir, après tout.

Daniel était peut-être un loup-garou depuis près d'un mois, mais ça ne voulait pas du tout dire qu'il était à l'aise avec la situation. Il pouvait encore à peine maîtriser ses pouvoirs de loup-garou. L'idée d'être complètement entouré d'autres loups-garous, en train de faire... Eh bien, ce qu'ils faisaient à ces «rassemblements»...

Il dut s'empêcher de frissonner.

— Oh, quel dommage, dit Daniel en se forçant à prendre un ton enjoué. Je suis désolé, mais j'ai déjà fait des plans pour demain soir. Mon groupe...

Son père le fixa avec un regard sévère.

— Ce n'est pas facultatif, Daniel. Que ça te plaise ou non, tu es l'un des nôtres, et tu devras venir à ces rassemblements. Ils sont *essentiels* si tu veux maîtriser ces nouvelles habiletés et en apprendre sur ton héritage.

— Mon quoi?

Daniel eut un mouvement de recul et essaya de ne pas regarder Justin.

Nous sommes jumeaux. Nous ne pouvons avoir des héritages différents!

— Je suis en partie humain, aussi, tu t'en souviens?

— C'est ce qui rend tout ça encore plus important, lui dit son père en le désignant du doigt en guise d'avertissement. C'est *seulement* en passant du temps avec les loups que tu pourras mieux t'intégrer aux humains. Est-ce que tu comprends?

Non, pensa Daniel.

Mais, lorsqu'il baissa les yeux pour éviter le regard déçu de son père, il aperçut son propre bras… ce qui lui rappela le désastreux rendez-vous ébouriffant de cet après-midi-là.

Au final, apprendre comment ne pas soudainement se recouvrir de poils n'était peut-être pas si bête que ça.

— D'accord, dit-il en soupirant. Je vais y aller.

Alors que son père se précipitait hors de la pièce pour faire quelques appels, Daniel fixa le sandwich dans sa main. Deux minutes auparavant, il avait été affamé, mais il déposa le sandwich sur son assiette et regarda Justin ; son jumeau regardait la table, les épaules voûtées.

Peut-être que l'estomac de Justin lui causait un malaise… ou peut-être qu'il se sentait mal pour quelque chose de complètement différent.

Jusqu'à un mois auparavant, Justin était celui qui avait eu toutes les conversations intenses et secrètes et qui avait passé du temps avec leur père. On s'était attendu à ce qu'il soit celui qui ferait partie de tout ça. Pendant ce temps, Daniel n'avait jamais même su que les loups-garous étaient réels, et il ne l'avait appris que lorsqu'il s'était regardé dans le miroir et avait vu le reflet d'un loup au lieu de son propre visage.

— Hé, dit Daniel.

Il se racla la gorge, mal à l'aise, et commença à jouer avec son sandwich.

— Est-ce que ça va?

— Moi?

Justin fronça les sourcils en levant le regard.

— Pourquoi ça n'irait pas?

— Eh bien…

Daniel prit son sandwich, le déposa à nouveau, puis soupira.

— C'est juste que je ne veux pas que tu te sentes exclu.

— Pas de problème, frérot, dit Justin en haussant les épaules. Pas de problème du tout.

Quand on dit « pas de problème » deux fois dans le même souffle, ça veut dire qu'il y a sans aucun doute un problème, se dit Daniel.

— T'es sûr? demanda-t-il.

— Ouais, dit Justin. J'en ai assez pour l'instant, surtout avec le *Homecoming* qui arrive, et l'école… et tout. Mais j'avoue que je suis déçu de manquer ce rassemblement. Ça a l'air super génial.

Daniel le regardait fixement, essayant de faire le rapprochement entre les concepts de «génial» et «rassemblement de loups-garous», mais il ne réussit pas à le faire. Son corps entier se raidissait d'angoisse juste à y penser.

— T'es sérieux, là?

— Mets-en, répondit Justin avec son sourire confiant habituel. Te tenir avec une bande de loups-garous et utiliser toute ta super force pour te pousser jusqu'au bout de tes limites… Que demander de mieux?

— Ouin, dit Daniel d'une voix monotone. Vraiment génial.

Il tenta de retourner le sourire de Justin, mais il ne le pouvait pas. Il venait de comprendre quelque chose de sérieusement déprimant.

Mon frère est un meilleur loup-garou que moi, se dit-il. *Et il est humain!*

Le lendemain matin, Justin attendait avec le reste de l'équipe de football à l'extérieur de l'auditorium de l'école. Une assemblée était sur le point de commencer, et pour une fois, Justin avait hâte, parce qu'il avait désespérément besoin d'une distraction *immédiate*. Sinon, il pourrait bien être malade !

Il savait bien que les joueurs loups-garous de l'équipe de football, connus collectivement comme les Bêtes, aimaient manger de la viande saignante dans leurs sandwichs. Mais étaient-ils vraiment obligés d'en transporter avec eux partout où ils allaient ? Au début, Justin avait pensé qu'il imaginait l'odeur. Puis, il avait aperçu le burger saignant qui dépassait d'une des poches d'Ed Yancey et s'était reculé en sentant l'odeur nauséabonde.

Ce n'est sûrement pas hygiénique !

Justin se déplaça en essayant de cacher son dégoût et aperçut Kyle Hunter, le chef des Bêtes, qui le regardait d'un air complice.

— T'as faim, Packer ?

Kyle mit une main dans la poche de sa veste de football.

— Veux-tu une bouchée de mon bœuf pour te dépanner ? Il est là depuis quelques jours, mais…

— Non, ça va, merci.

Justin combattit sa nausée. Pour les Bêtes, Justin était un loup-garou, tout comme eux.

Si je vomis sur ses chaussures, mon secret va être dévoilé.

Il n'avait vraiment pas envie qu'ils découvrent la vérité.

— Peut-être plus tard, dit Justin d'une voix faible. Je viens de manger une assiette de bacon… deux, en fait.

Il ne put s'empêcher d'avaler sa salive avec difficulté lorsque l'odeur de la *vieille* viande crue remonta vers lui.

— Ha! ricana Ed Yancey. Je t'ai vu, Packer! Tu commences à être un peu… étourdi?

— Mmh… Euh…

Justin commençait à paniquer.

Comment font-ils pour le savoir?

Ed lui donna un coup de coude et fit un sourire narquois.

— J'ai bien vu qui venait de passer à côté de toi. Je crois que notre porteur de ballon craque pour quelqu'un, là!

— Quoi? lâcha Justin d'une voix aiguë.

Il dut s'empêcher de se retourner pour regarder.

Est-ce que Riley est proche de nous? Est-ce qu'elle regarde? Est-ce que mes cheveux sont corrects?

Alors qu'il levait sa main pour s'assurer qu'ils étaient lisses, les autres Bêtes éclatèrent de rire.

— Je n'aurais jamais deviné ça! dit Kyle en donnant une tape dans le dos de Justin. Alors, Justin, t'aimes les meneuses de claque, hein?

— Ah oui?

Justin le fixait, déstabilisé.

— Ouep, dit Kyle en secouant la tête. Je n'aurais jamais cru que Mackenzie Barton était ton genre de fille.

— *Quoi?*

Justin le fixa à nouveau.

— Tu dois blaguer, là!

Mackenzie Barton était la meneuse de claque en chef et la reine de la méchanceté de l'école secondaire Pine Wood. Elle avait vécu dans la maison de l'autre côté de la rue de Justin et Daniel avant de finalement déménager dans un autre secteur de la ville.

Justin ne comprenait toujours pas pourquoi il n'avait pas fait une grande fête ce jour-là.

— Jamais… je ne…

— Il bégaie, dit Chris Jackson avec un grand sourire. Tu sais ce que ça veut dire. Il *craque* pour Mackenzie.

— Aark!

Justin commença à se retourner et aperçut Riley qui le fixait, non loin de la foule.

Elle était sans aucun doute assez proche pour avoir entendu ce qui les Bêtes avaient dit.

Oh non!

Justin se retourna brusquement.

— La ferme! siffla-t-il. Franchement, les gars. S'il vous plaît! Ne dites pas un autre mot!

— Ah, ha!

Ed sourit comme s'il avait fait la meilleure blague du monde.

— Voilà la preuve. Nous avons touché un point sensible. C'est sûr que t'aimes Mackenzie!

Tandis qu'il paniquait, les pensées de Justin se heurtaient comme des autos tamponneuses. Il savait que ses coéquipiers ne le laisseraient pas tranquille jusqu'à ce qu'il admette quelque chose, mais la seule façon de s'en sortir serait d'admettre la vérité et de dire qui il aimait vraiment — et il ne pouvait pas faire ça pendant que Riley était assez près pour l'entendre.

Pourquoi faut-il que ce soit si compliqué de juste bien aimer une fille ? se demanda-t-il désespérément.

Puis, il vit qui s'approchait d'eux à travers la foule. Il gémit et tenta de fermer les yeux… mais il ne pouvait détourner le regard de la ruine qui l'attendait.

Pourquoi ? Pourquoi toutes les mauvaises choses du monde entier m'arrivent à moi ?

Mackenzie Barton marchait droit vers lui, sa queue de cheval se balançant sur les épaules de sa veste de meneuse de claque.

— Je dois y aller, marmonna Justin. Je reviens dans…

— Absolument pas !

Kyle déposa une lourde main sur l'épaule de Justin, l'empêchant de partir.

— Fais-moi confiance, Packer. Tu peux y arriver ! Nous sommes tous derrière toi.

Les autres Bêtes s'étaient rassemblées autour en ricanant et en sifflant.

Justin vit que Riley regardait à partir du bord de la foule. Son estomac se noua.

Mackenzie s'avança jusque devant lui d'un pas nonchalant en souriant et en battant des paupières.

C'était tellement bizarre que la respiration de Justin accéléra sous l'effet de la panique.

Pourquoi me sourit-elle comme ça? Est-ce qu'on me joue un tour?

— Hé, Justin, dit-elle d'une voix douce et aguichante. Comment ça va?

Justin avala difficilement, sentant les yeux de Riley sur lui.

C'était la première fois que Mackenzie lui demandait comment il allait. À son souvenir, elle s'était toujours foutue de savoir comment qui que ce soit allait, à l'exception d'elle-même, bien sûr!

— Bien, merci. Et toi?

Elle fit battre ses paupières encore plus vite.

— As-tu quelque chose dans l'œil?

— Oh, je vais bien, dit Mackenzie en arrêtant son battement frénétique et en se penchant vers lui. Je voulais juste te souhaiter bonne chance pour le match et te dire de faire attention de ne pas te faire mal pendant l'entraînement.

— Oh. Merci de t'en… faire, dit-il.

— Ça serait vraiment moche si le roi du *Homecoming* de Pine Wood devait se promener en boitant le jour du couronnement!

Quoi ?

Justin la regardait toujours bouche bée lorsque les portes de l'auditorium s'ouvrirent. Il n'avait jamais été si content de se laisser emporter par une foule alors que les gens se précipitaient à l'intérieur, le transportant loin de Mackenzie.

La Mackenzie normale et méchante était déjà assez difficile à supporter. Il savait comment composer avec ses humeurs habituelles : s'esquiver et se protéger ! Mais une Mackenzie qui essayait d'être amicale ? Ça n'augurait pas bien.

Et qu'avait-elle voulu dire par « roi du *Homecoming* » ?

Il essayait de regarder n'importe où pour éviter les visages suffisants de Kyle, Ed, Chris et les autres Bêtes alors qu'ils prenaient place à l'avant de l'auditorium.

Sur la scène, la directrice Caine les attendait déjà. Elle avait des yeux et des cheveux gris pâle et était plus petite que plusieurs de ses étudiants, mais rien de tout ça ne diminuait sa férocité glaciale ni l'intensité de son regard, lequel pouvait paralyser même les Bêtes lors de leurs moments les plus turbulents. Lorsqu'elle s'approcha du podium et demanda le silence, un calme des plus complets s'installa dans l'auditorium.

— Merci, étudiants, dit-elle. Maintenant, j'aimerais faire l'annonce officielle du prochain bal et match du *Homecoming*.

La foule explosa en cris de joie. Les filles se mirent à discuter avec animation, et les Bêtes se levèrent pour beugler et hurler en chœur.

— Pine Wood! Pine Wood! Pine Wood!

Justin fit un petit sourire suffisant lorsqu'il regarda de l'autre côté de l'auditorium et vit Daniel et les membres de son groupe, Otto et Nathan, tous assis ensemble. Ils étaient les seuls à ne pas être excités.

Ouais. Je m'en doutais bien.

Daniel regardait fixement le plafond, ses bras croisés en guise de résistance manifeste, Otto s'était avachi sur son siège, comme s'il s'ennuyait, et Nathan était assis et bâillait en frottant ses yeux.

Justin sourit.

C'est ça qu'on appelle l'esprit d'école!

— Hum, dit la directrice Caine, et le bruit se calma.

Son visage se durcit.

— Je suis certaine que nous avons tous hâte aux festivités, ajouta-t-elle sèchement.

Ouais, bien sûr.

Justin étouffa un rire. D'après l'expression sur le visage de la directrice Caine, elle aurait aussi bien pu mordre dans un citron.

A-t-elle déjà eu hâte à quelque chose au cours de sa vie ?

— Un très chanceux groupe formé d'étudiants aura le droit de jouer de la musique devant vous lors du bal, et nous invitons tous les groupes à s'inscrire à cet événement éducatif.

Elle secoua la tête d'un mouvement irrité.

— Sinon, il n'y aura pas vraiment de compétition ! En ce moment, nous n'avons qu'un seul groupe sur la liste. Dans la porcherie… Je m'excuse.

Elle regarda une feuille de papier en plissant les yeux.

— Dans la bergerie, bien sûr.

Quoi ?

Justin s'étouffa de rire. Toujours en tentant de reprendre son souffle, il se retourna sur son siège pour regarder Daniel et les autres.

Nathan se tenait la gorge, Otto faisait des gestes de haut-le-cœur, et Daniel avait l'air d'un survivant d'un film d'horreur.

Ils ne savaient pas qu'ils étaient inscrits, se dit Justin en voyant l'expression estomaquée de son frère.

Oh, oh.

Il fit un petit sourire en coin.

Mais je parie que je sais qui les a inscrits.

Lorsqu'il se retourna vers la scène, il aperçut Riley en train de faire des gestes aux autres de l'autre côté de l'auditorium.

— Je vais vous expliquer plus tard, articula-t-elle.

Je le savais.

Justin fit un large sourire. Il espérait être présent pour cette explication.

— Mademoiselle Carter?

La voix de la directrice Caine surgit sèchement, et Riley se retourna brusquement sur son siège.

— Avez-vous une question?

— Non, madame, lui répondit Riley avec un grand sourire.

— En êtes-vous certaine?

La directrice Caine haussa les sourcils avec une expression sévère.

— Vous n'étiez pas en train d'agiter vos bras pour une autre raison, n'est-ce pas ?

— Non, madame, répéta Riley docilement.

Elle déposa les mains sur la pile de cartables qui était sur ses genoux.

Justin pouvait bien voir qu'elle essayait de s'empêcher de gigoter, mais comme elle était Riley, c'était peine perdue. Elle gigotait d'impatience, prête à bouger et à se mettre à tout organiser !

— Mmh.

La directrice Caine la regarda longuement avant de continuer.

— Le vote pour choisir le roi et la reine du *Homecoming* commencera dès aujourd'hui et se terminera à la fin de la semaine. Je suis certaine...

Son visage se durcit comme de la pierre.

— ... que ceci nous excite tous beaucoup.

Justin pouffa de rire.

Si elle a l'air de ça quand elle est excitée, je n'aimerais pas la voir quand elle est déprimée !

— Il y aura une table dans la cafétéria où vous pourrez aller voter. Nous aurons, bien sûr, besoin de quelqu'un pour organiser le vote ; je lance donc une invitation à ceux qui aimeraient assumer cette responsabilité.

Un silence des plus complets envahit l'auditorium alors que des centaines de mains restaient bien baissées. En fait, toutes les mains sauf une.

La directrice Caine regardait dans toutes les directions sauf à sa gauche, là où elle aurait vu Riley, qui se tenait presque debout pour être certaine de se faire voir. Enfin, la directrice soupira.

— D'accord, mademoiselle Carter. Le poste est à vous.

— Merci, madame! répondit gaiement Riley.

Elle ouvrit immédiatement le cartable du dessus et commença à y gribouiller quelque chose.

La directrice Caine se racla la gorge en prenant une nouvelle feuille de papier.

— Et maintenant, voici les candidats pour le titre du roi du *Homecoming*.

Oh, oh.

Justin se raidit dans son siège. Si Mackenzie avait raison…

La directrice Caine les nomma d'une voix forte.

— Caleb Devlin, Kyle Hunter, Justin Packer...

Oh non !

Le cœur de Justin s'alourdit.

Voilà pourquoi Mackenzie était gentille avec moi !

Alors que la directrice lisait les autres noms, Justin capta le regard de son jumeau de l'autre côté de l'auditorium bondé.

Daniel secoua la tête en geste de dégoût évident.

Oh, oh, se dit Justin. *Je connais ce regard.*

C'était l'expression que son frère faisait habituellement lorsque Justin se trompait à propos du nom d'un album de musique «très important».

Qu'est-ce que j'aurais pu faire ?

Justin haussa les épaules et leva les mains d'un geste d'impuissance. Il n'avait aucun pouvoir sur les nominations !

Daniel plissa les yeux. À ce moment, la directrice se racla la gorge à nouveau.

— Et maintenant, les candidates pour le titre de reine du *Homecoming*...

Justin se ferma les yeux.

S'il vous plaît, s'il vous plaît, s'il vous plaît, faites que ce ne soit pas...

— La première candidate est Mackenzie Barton, lut la directrice Caine. Et la deuxième candidate…

Mais sa voix fut enterrée par les cris de victoire de Mackenzie et, un instant plus tard, l'écho de son entourage. C'était si assourdissant que Justin couvrit ses oreilles et se baissa dans son siège comme s'il voulait s'échapper. Même en étant assis à l'avant de l'auditorium, il ne put bien entendre le deuxième nom sur la liste.

La directrice Caine secoua la tête et lança un regard sévère à Mackenzie.

— Un peu de calme, s'il vous plaît, mademoiselle Barton. La troisième et dernière candidate pour le titre de reine du *Homecoming* est… Debi Morgan !

Ha !

Justin fit un large sourire en direction de son frère.

— Je parie que tu ne trouves plus ça stupide maintenant, hein ? marmonna-t-il.

Daniel fusilla Justin du regard. Puis, Justin se rendit compte que Daniel l'avait entendu de l'autre côté de l'auditorium.

— J'avais oublié que tu as une ouïe super forte, maintenant, dit Justin en souriant. Ça va être amusant !

Lorsque l'assemblée se termina enfin, Daniel sortit de l'auditorium d'un pas traînant en suivant la foule. Ses pensées étaient à des kilomètres tandis qu'il pensait au rassemblement qui allait se dérouler ce soir-là.

Que se passait-il exactement à un rassemblement de loups-garous? Son père avait refusé de lui donner des indices, peu importe à quel point il l'avait harcelé. Lorsqu'il essayait d'imaginer...

Quelqu'un saisit son bras, et il lâcha un petit cri de surprise.

Oups!

Il ferma la bouche un instant trop tard.

J'espère que personne n'a entendu ça! On aurait vraiment dit un petit chien!

Heureusement, les membres de son groupe étaient encore trop déprimés à propos du *Homecoming* pour l'avoir remarqué.

— Marche avec moi! chuchota Justin en tirant son bras.

— Pourquoi? demanda Daniel en reculant.

Justin grimaça.

— Parce que Mackenzie Barton ne m'approchera probablement pas si je suis entouré de toi et de ta bande de gars démoralisés!

Daniel rit et emboîta le pas. Justin avait raison; Otto et Nathan semblaient vraiment démoralisés à ce moment-là.

— Depuis quand as-tu peur de Mackenzie? demanda-t-il.

Justin semblait angoissé.

— Depuis qu'elle s'est mis dans la tête que Pine Wood a besoin d'avoir ses propres Kate et William.

— Qui? demanda Daniel en secouant la tête, confus.

— Hé frérot, il faudrait *vraiment* que tu écoutes les nouvelles du monde de temps en temps, dit Justin en levant les yeux au ciel. Tu peux être marginal, mais il ne faut pas être inconscient non plus.

— Ah, la ferme.

Daniel lui donna un coup de coude en souriant.

— Dis-moi, qu'est-ce que Mackenzie attend de toi?

Justin gémit.

— Elle pense que je serai le roi et qu'elle sera la reine du *Homecoming*!

— Je vous vois bien ensemble, dit Daniel en hochant la tête.

— J'ai vraiment besoin d'aide, dit Justin. Et je me suis dit que personne ne sait tuer l'intérêt d'une fille mieux que toi. Tu le fais naturellement depuis si longtemps !

— C'est un don, dit solennellement Daniel. Tu l'as, ou bien tu ne l'as pas. Et je ne peux pas t'aider si tu n'as pas des habiletés naturelles.

Les deux rirent pendant un moment, mais Justin poussa ensuite amicalement son frère.

— Ne me fais pas rire. Je ne devrais pas rire. C'est une période de crise.

— OK, OK.

Daniel s'efforça de chercher une solution alors qu'ils se rendaient à leur classe. La foule dans le corridor commençait déjà à se dissiper alors que les étudiants disparaissaient dans leurs classes.

— Écoute, je ne peux pas t'aider, cette fois-ci. Si elle est élue reine du *Homecoming* et que tu es élu roi…

On aurait dit que Justin venait de se faire refuser un touché, ou quelque chose de la sorte.

— Alors, je suis foutu. On devra *danser* ensemble lors du bal du *Homecoming*.

— À moins que…

Daniel fronça les sourcils et hésita à quelques pas du local de son prochain cours.

— Qui a dit que Mackenzie *doit* gagner ? Si elle perd, tu seras libre !

— Voyons donc.

Justin se laissa tomber contre le mur de casiers avec un air misérable.

— Mackenzie était la reine à l'école lors des années précédentes, et elle sera probablement une *impératrice* cette année. Qui pourrait avoir une chance contre elle ?

Daniel baissa le regard et regarda ses bottes.

— J'sais pas, frérot.

— Debi ! cria soudainement Justin.

— Où ?

Daniel se retourna, mais ne la vit nulle part. Puis, il comprit.

— Debi comme reine du *Homecoming* ? C'est génial ! Elle est nouvelle, elle est belle, elle est amusante, et elle est charmante. Elle a un sourire qui pourrait…

Daniel s'arrêta avant de se transformer en loup. Il prit une grande respiration.

— Je crois qu'elle pourrait battre Mackenzie, si elle essayait.

Hé. Elle pourrait faire n'importe quoi, se dit-il.

Mais il ne le dit pas à voix haute. Il refusait d'avoir l'air aussi sentimental devant son frère. Avait-il un sourire idiot juste parce qu'il pensait à elle ? Oh, oh. Il était presque sûr que oui.

— Donc, tu lui en parleras ? demanda Justin.

— Quoi ?

Daniel s'étouffa, et son sourire disparut.

— Je n'ai pas dit ça !

— Allez, frérot !

Justin agrippa son bras.

— Il faut que tu m'aides. Si Debi veut gagner, elle doit faire une *campagne*. Elle ne peut pas laisser Mackenzie l'écraser sur son chemin. Il faut que tu la convainques de se *battre pour être couronnée* !

— Euh...

Daniel grimaça.

— Tu sais ce que je pense de toute cette affaire de *Homecoming*. Et après le fiasco d'hier au Bœuf et bonjour, je ne sais même pas si Debi voudra me parler de quoi que ce soit.

— Je t'en prie, frérot. Je te supplie de me sauver la vie !

Justin se mit à genoux au beau milieu du corridor.

— Tu ne peux pas me laisser «Mackenziener» !

— OK, d'accord, soupira Daniel. Mais s'il te plaît, lève-toi avant que l'entraîneur Johnston pense que tu as une blessure du TCA.

— Tu veux dire LCA, dit Justin en se relevant d'un seul coup.

— Je vais faire de mon mieux, dit Daniel. Mais je ne peux pas faire de promesses. Sérieusement, après hier, elle pense probablement que je suis bizarroïde.

— Donc, tu ne peux pas empirer les choses, dit Justin.

Il se dépoussiéra en souriant et commença à s'éloigner en se pavanant jusqu'à son prochain cours.

— N'est-ce pas ?

Daniel grimaça.

— T'appelles ça encourager ton p'tit frère ?

— Désolé, frérot.

Justin s'arrêta.

— Euh… bonne chance ?

— Merci, répondit sèchement Daniel en se tournant vers l'entrée du local de son prochain cours.

— C'est moi que tu appelles « p'tit frère » ? marmonna Justin, ce que Daniel entendit.

Une heure plus tard, Daniel était devant l'entrée de la cafétéria. Il prit une grande respiration… et le regretta instantanément. Ses sens de loup-garou captaient toutes les odeurs de la cafétéria et de la cuisine un peu plus loin… et probablement celles de la ruelle derrière l'école où les déchets se trouvaient. *Beurk*!

Une chance qu'il s'était apporté un dîner. Il prit de petites respirations pour s'empêcher de renifler la puanteur et se dirigea vers la table de Debi. Elle était facile à trouver : ses cheveux roux chatoyants brillaient comme un phare et le convoquaient depuis l'autre côté de la pièce. Même devoir se rendre jusqu'à une table occupée *uniquement* par des filles n'était pas assez pour le ralentir.

Malheureusement, à environ trente mètres de la table de Debi, il entendit exactement la mauvaise conversation.

— Non, vraiment! dit Debi aux filles autour d'elle. Je suis simplement heureuse d'avoir été nommée pour être reine du *Homecoming*, surtout que je suis nouvelle en ville. C'est juste cool.

Elle sourit et prit une gorgée de son jus d'orange.

— Je n'ai pas besoin de plus que ça.

— Allez Debi! dit la fille à sa gauche, Sarah Perkins, en secouant la tête. Tu ne veux pas *gagner*?

Debi haussa les épaules et déballa son dîner.

— Bof, pas vraiment.

— Mais pourquoi pas? demanda la fille à sa droite, Eileen Black, avec un soupir de convoitise. Penses-y! La couronne, le bal, les photos, se faire traiter en reine pendant toute une semaine... *et* montrer à Mackenzie qu'elle ne peut pas tout gagner!

— C'est exactement ça le problème, dit Debi en soupirant. J'en ai déjà assez sur les épaules en étant avec elle dans l'équipe de meneuses de claque; je n'ai pas besoin de l'irriter encore plus.

Oh non.

Daniel eut un mouvement de recul et s'arrêta au beau milieu de la cafétéria en écoutant ses paroles.

Je vais avoir l'air vraiment idiot si je l'interromps et lui dis de faire exactement ça !

Il faillit se retourner, mais à ce moment-là, il aperçut Justin de l'autre côté de la salle. Il était assis à une table remplie de joueurs de football, dont la plupart s'amusaient à se lancer de la nourriture, mais Justin n'y prêtait pas attention. Il était impossible d'ignorer l'expression de supplication sur son visage.

Daniel redressa les épaules et fonça droit vers le danger. Il ne pouvait pas laisser son frère être « Mackenziené »... même s'il devait s'impliquer dans le *Homecoming* pour le sauver !

Quelle horreur !

Alors qu'il s'approchait de la table de Debi, Daniel adopta son meilleur « sourire confiant ». Il mit ses mains dans ses poches, fit un geste de la tête poli vers les autres filles, puis se retourna vers Debi. Il ne lui avait pas reparlé depuis le fiasco du Bœuf et bonjour de la veille, mais, Dieu merci, elle lui sourit comme si rien de tout ça ne s'était passé.

Elle va peut-être me donner une autre chance… si je ne bousille pas trop ça !

— Hé, dit-il. Es-tu excitée pour ta nomination ?

Comme si je ne connaissais pas déjà la réponse.

— Je suis simplement heureuse d'avoir été nommée… commença Debi.

Elle avait sûrement pratiqué cette réponse, parce qu'elle la dit exactement comme il l'avait entendue plus tôt. Son cœur s'alourdit lorsqu'il l'entendit dire les mots familiers.

— … surtout que je suis nouvelle en ville. C'est juste…

— Cool, dit Daniel en terminant la phrase pour elle d'un ton morose. D'accord.

Il soupira.

Puis, il vit l'expression sur son visage. Elle le fixait.

— Comment as-tu su ce que j'allais dire ?

Il se figea.

Recule ! Ne la laisse pas savoir que tu es un gars poilu bizarroïde avec une super ouïe !

— Je… C'est comme ça que je me sentirais si…

— Si tu avais été nommé pour être reine du *Homecoming* ? demanda Sarah Perkins.

La table entière éclata d'un fou rire qui faillit lui faire perdre pied.

Debi étouffait manifestement un rire aussi.

Justin avait peut-être raison ; Daniel n'avait pas beaucoup d'expérience avec les filles qui l'aimaient bien, mais une chose était sûre : il reconnaissait l'expression de Debi à ce moment-là, et elle pensait qu'il était probablement le gars le plus bizarre qu'elle avait jamais rencontré.

Il ne savait plus où se mettre. Avec les événements de la veille et de ce jour-là, était-il possible de faire pire impression ? Il entendait presque une alarme d'avertissement dans sa tête crier : « Alerte rouge ! Alerte rouge ! Cours tout de suite avant qu'il ne soit trop tard ! »

Il baissa la tête en un geste idiot, puis il commença à se retourner pour se sauver, mais il entendit une voix familière : Justin lui chuchotait quelque chose de l'autre côté de la cafétéria.

— Ne te dégonfle pas, frérot. Pense à ce qui est en jeu !

Daniel grimaça. Il n'était pas juste que Justin réussisse à littéralement devenir une voix dans sa tête! Parfois, les super sens de loup-garou étaient tout *sauf* un avantage.

Il se raidit et se retourna vers Debi.

— Je pense que tu ferais une excellente reine du bal du *Homecoming*, dit-il à travers des dents serrées.

— Vraiment?

Debi cligna des yeux de surprise, et les autres filles, abasourdies, commencèrent à chuchoter entre elles.

— Je croyais que tu détestais le *Homecoming*!

— Eh bien…

Daniel grimaça.

— Je ne suis pas un fan en général, mais…

— Tu as dit hier au Bœuf et bonjour que tu croyais que toute cette affaire de roi et de reine du bal était stupide. Qu'est-ce qui t'a fait changer d'idée?

— Euh… eh bien, c'est pas ça. C'est plus que ça…

Daniel soupira et décida d'abandonner. Il ne lui restait que… la vérité.

— Tu *dois* être la reine, dit-il en se laissant tomber sur le siège à côté d'elle. Si tu ne gagnes pas, Mackenzie gagnera, et elle sera un vrai cauchemar.

— Il a *tellement* raison, renchérit Eileen.

Elle lança un regard approbateur à Daniel alors qu'elle parlait à Debi.

— Tu sais qu'elle va prendre son rôle de « reine » trop au sérieux et que tout le monde va souffrir sous son... règne.

À la gauche de Debi, Sarah leva les yeux au ciel.

— Je parie qu'elle a déjà commandé une tiare et qu'elle envisage de la porter pendant toute la semaine où elle sera reine.

— Ça sera un règne de terreur ! s'écria Eileen.

Debi poussa un soupir.

— Je suis sûre que vous avez raison, mais bon...

Elle haussa les épaules en geste d'impuissance.

— Qu'est-ce que je peux bien faire ? Je n'ai pas la force d'aller chercher des votes. Si les gens m'aiment, ils m'aiment. S'ils ne m'aiment pas, ils ne m'aiment pas. Et puis...

Elle leva les mains.

— De toute façon, les titres et la popularité ne sont pas vraiment importants, n'est-ce pas ?

Elle continuait de parler, mais Daniel avait de la difficulté à se concentrer. Il souriait à l'intérieur, car il était totalement d'accord avec elle.

Mais à ce moment-là, il entendit à nouveau la voix de Justin marmonner dans son oreille.

— Tu la perds. Essaie plus fort !

Daniel voûta les épaules.

— Ferme-la ! grogna-t-il à son frère…

… et les yeux de Debi s'écarquillèrent sous le choc.

— Pardon ?

— Désolé !

Daniel se leva brusquement, horrifié.

— Je ne te…

Je ne quoi ? se dit Daniel. Je ne lui parlais pas ? À qui d'autre j'aurais bien pu être en train de parler ?

— Je… euh…

Pense Packer. Pense !

— Je ne voulais pas dire « Ferme-la » dans le sens de « Arrête de parler », bafouilla-t-il. Je voulais dire « Ferme-la » dans le sens de « Feeeeeerme-laaaaaaa ».

Il prit une voix de fille.

— Tu vas genre *tellement* gagner. Totalement. *Asbolument.*

Là, t'inventes des mots !

— *Asbolument* ? répéta Debi en fronçant les sourcils. Je ne sais pas…

— Et si quelqu'un s'occupait de la campagne pour toi ? dit Daniel pour changer de sujet… aussi rapidement que possible.

Debi rit.

— Mais qui voudrait s'occuper de ça ?

Elle secoua la tête et se désigna du doigt.

— Voyons, Daniel. Personne ne me connaît assez bien pour faire le tour de l'école et raconter à tout le monde à quel point je suis géniale.

— Moi oui.

Les mots étaient sortis de la bouche de Daniel avant qu'il puisse les arrêter.

Les bouches d'Eileen et de Sarah s'ouvrirent si rapidement qu'elles auraient presque eu besoin d'un parachutent pour que leurs mâchoires ne frappent pas le sol.

Daniel sentit ses dents commencer à élancer. Ses incisives se mettaient à pousser tandis qu'il se tenait devant une table de la cafétéria.

— J'veux dire… J'voulais dire… dit-il.

Il réussit à peine à se retourner avant de continuer.

— Je veux dire que je crois que oui… qu'il sera absolument possible de trouver quelqu'un pour faire ça pour toi.

Heureusement, les filles à table commencèrent à parler toutes en même temps. Elles parlaient si vite que même avec ses sens de loup-garou, il avait de la peine à déchiffrer ce qu'elles disaient. Elles, au contraire, ne semblaient pas avoir ce problème et, après à peine une minute, elles étaient arrivées à une entente.

— Sans aucun doute, dit Eileen en hochant fermement la tête. Riley Carter est la seule qui pourrait réussir ça.

Debi, pensive, se mordilla la lèvre.

— Peut-être, mais Riley organise déjà le match *et* le bal du *Homecoming*. Quand va-t-elle trouver le temps de m'aider ?

— Hé, on peut toujours le lui demander, n'est-ce pas ? dit Daniel en souriant.

Et il connaissait le gars qui pourrait demander l'aide de Riley.

C'est l'heure de payer tes comptes, frérot.

CHAPITRE 3

Une demi-heure plus tard, Justin était dans son cours d'anglais et se sentait aussi nerveux que s'il était sur le point d'entrer sur le terrain pour un match important.

Ressaisis-toi, le p'tit loup! se dit-il. *Tu peux le faire.*

Lentement et à contrecœur, il força ses pieds à se déplacer. Puisque tout le monde travaillait sur des projets individuels, la salle était particulièrement silencieuse, et il n'y avait qu'un faible marmonnement de conversations entre quelques-uns des élèves. Ses pas lourds et bruyants semblaient résonner dans ses oreilles comme des coups de tonnerre. À chaque pas, il était convaincu que quelqu'un allait lever le regard et lui demander ce qu'il faisait. À mi-chemin du pupitre de Riley, il s'arrêta en état de panique. Peut-être que s'il attendait à plus tard…

Non, se dit-il fermement. *Daniel a demandé à Debi, donc je dois demander a Riley.*

De plus, rien ne pourrait être pire que d'être le roi de Mackenzie Barton! L'idée était si grotesque que sa force le propulsa jusqu'au pupitre de Riley.

Rendu là, il y avait une dernière barrière à surmonter : des piles de feuilles de papier et de chemises qui formaient une porte entre Riley et le reste du monde.

Sois cool, s'ordonna Justin. *Sois cool, sois cool.*

— Justin?

Riley avait levé le regard et clignait des yeux.

— Est-ce que tout va bien?

— Euh…

Oh non.

Combien de temps était-il resté là, figé, sans dire un mot?

Rester figé sur place, ce n'est probablement pas cool!

— Je… je voulais juste… je veux dire…

Aaaaaah!

Justin se gifla mentalement.

Allez ! Tu sais encore comment parler !

Les mots se précipitèrent hors de sa bouche.

— Je me demandais si t'aimerais aider Debi dans sa campagne pour devenir reine du *Homecoming*.

Fiou. C'était pas si terrible.

Sauf que Riley le regardait comme s'il était aussi fou qu'une personne qui aurait osé porter des vêtements mélangeant des motifs quadrillés avec du cachemire. Justin ne savait pas exactement ce que ça voulait dire, mais il savait qu'il aurait fallu être *super* fou.

Concentre-toi, concentre-toi !

— C'est juste que ça serait cool si la victoire n'était pas offerte à Mackenzie sur un plateau d'argent, continua-t-il. T'es pas d'accord ?

Riley leva les yeux au ciel.

— Vraiment, Justin ?

Riley le regardait toujours comme s'il avait perdu la tête. Est-ce que Justin venait de faire d'une pierre les deux coups les plus déprimants de l'histoire de Pine Wood en réussissant à ruiner les chances de son frère et les siennes en une seule conversation ?

— Pensais-tu vraiment avoir à me le demander ?

Justin se détendit les épaules et il lui fit un grand sourire.

— Tu veux dire que je n'avais pas à le faire ?

Elle lui retourna son sourire.

— J'ai déjà élaboré une stratégie.

Justin secoua la tête.

— C'est incroyable ! Comment as-tu fait pour savoir que Debi allait faire une campagne ?

Elle haussa les épaules.

— Je ne le savais pas. C'est juste que j'aime être prête au cas où on aurait besoin de moi.

Justin tentait d'empêcher le sourire idiot qui insistait pour sortir de faire surface, mais c'était difficile à faire quand Riley était si... *Riley*.

— Quand as-tu eu le temps de faire tout ça ?

— Tu serais surpris par ce qu'on peut faire quand on ignore le besoin de dormir !

Justin montra du doigt les piles de feuilles de papier.

— Est-ce que je peux voir ?

Toujours en souriant, Riley tapa sa tête avec le bout du doigt.

— Tout est là-dedans. Oups !

En tapant sa tête, elle avait délogé une pince à cheveux qui s'y trouvait. Un côté de ses longs cheveux blonds se dégagea et tomba librement sur son épaule.

Justin la fixa, sa gorge soudainement aussi sèche que le désert.

Riley rit en ramassant la pince.

— Pas sûre que ce nouveau look m'aille si bien…

— Euh…

Justin essayait de trouver quelque chose à dire, n'importe quoi d'intelligent, pendant qu'il la regardait remonter les mèches de longs cheveux blonds soyeux.

Il ne trouva rien.

Il ne pouvait qu'espérer qu'elle ne puisse pas entendre son cœur battre… très, très fort.

— En tout cas…

Riley lui fit un sourire en remettant la pince à sa place.

— Je vais écrire mes plans plus tard. Tu pourras les voir lorsque j'aurai fini. OK ?

Sois cool. Sois cool !

C'était une cause perdue.

— Euh… dit Justin. Euh. Ouais. Génial !
Super !

Puis, il se retourna et se précipita vers
son pupitre. Il se jura que si le voyage à
travers le temps était inventé un jour, il
reviendrait à cet instant même et empêche-
rait la jeune version de lui-même de dire
« Super ! » devant Riley.

Il n'avait jamais de sa vie été aussi soulagé de s'asseoir. Malheureusement, Daniel
était au pupitre juste devant lui. Le jumeau
de Justin se retourna et lui fit un grand
sourire.

Eh bien… chuchota-t-il. Ton cœur pro-
duit tout un rythme techno en ce moment,
hein ?

Justin le fusilla du regard.

Je déteste l'ouïe de loup-garou !

Mais avant qu'il puisse répondre,
quelqu'un heurta durement son épaule.

— Hé !

C'était Milo, le gars qui avait parti-
cipé aux auditions contre Riley pour être
le chanteur du groupe Dans la bergerie.
Il rebondit contre l'épaule de Justin, faillit
atterrir sur le pupitre de Daniel et tomba
enfin par terre, tête première.

— Est-ce que ça va? demanda Justin en commençant à se lever.

Daniel tendit la main pour aider aussi.

— Hé, laisse-moi…

— Laisse-moi tranquille!

Milo repoussa Daniel et enveloppa ses bras autour de sa poitrine.

— Je vais bien et je ne veux vraiment pas de *ton* aide, Packer!

— D'accord, d'accord…

Daniel se rassit et secoua la tête.

Justin soupira en regardant Milo repartir d'un pas lourd vers son propre pupitre.

Je pense qu'il est encore pas mal fâché de ne pas avoir été pris dans le groupe de Daniel.

Mais honnêtement… qu'aurait-il voulu que Daniel fasse? Riley était meilleure chanteuse que Milo. Riley était meilleure que Milo dans tous les domaines. Riley était meilleure que tout le monde! Elle était si… si…

Si en train de me regarder!

Justin sursauta et se rendit soudainement compte qu'il fixait Riley depuis au moins une minute complète… et qu'elle le regardait avec une expression à la fois soucieuse et confuse.

Justin baissa brusquement la tête pour regarder son pupitre. Il avait l'horrible sentiment qu'il l'avait fixée avec adoration.

Beurk !

Pourquoi est-il si important que la fille que tu aimes ne découvre pas que tu l'aimes ? lui demanda une petite voix dans sa tête, alors que la gêne le submergeait.

Trois heures plus tard, il n'avait pas encore trouvé une réponse à cette question alors qu'il entrait à la maison après son entraînement de football. Mais à présent, il commençait à se sentir mieux à propos de tout ça. Il accrocha sa veste et se précipita à sa chambre, totalement excité.

Les ordinateurs vont me sauver !

Il avait peut-être de la difficulté à parler comme une personne normale devant Riley dernièrement, mais il pouvait au moins travailler avec elle en ligne afin d'aider Debi à se faire élire reine du *Homecoming*. Encore mieux, pendant qu'il taperait tous ces mots en ligne, personne ne pourrait l'entendre dire «Euh» encore et encore, comme s'il était un robot déréglé dans un livre de science-fiction de Cole Knightley.

Il lança son sac à dos sur son lit et se dépêcha à allumer l'ordinateur sur son bureau. Il ferait peut-être une si bonne impression sur Riley en ligne qu'elle oublierait ce truc étrange au Bœuf et bonjour la veille, et dans le cours d'anglais, et peut-être…

Il entendit un fracas assourdi et se mit à regarder tout autour de lui.

Est-ce que c'était Daniel ?

— Aaaaaaaah !

C'était sans aucun doute le cri de son frère, venant de la chambre d'à côté, et il fut suivi d'un deuxième lourd fracas.

Justin se précipita à travers leur salle de bain partagée et ouvrit la porte qui menait à la chambre de Daniel. Ses yeux s'écarquillèrent quand il vit ce qu'il y avait devant lui.

— Aïe ! s'exclama-t-il. T'es-tu fait cambrioler ?

— Très drôle.

Daniel le fusillait du regard à partir du milieu du plancher où il était agenouillé, entouré de pantalons à l'envers, de vêtements et de piles de feuilles de papier.

— Je vais bien, OK ? Tout va bien.

— Si tu le dis.

Justin jeta un coup d'œil sur la zone sinistrée qu'était devenue la chambre de son frère.

— Mmh… est-ce que je peux te demander pourquoi on dirait qu'il y a eu un combat extrême de kung-fu dans ta chambre ?

— Ce n'est rien, dit Daniel.

Il croisa les bras et tenta d'avoir l'air nonchalant, sauf que lorsque Daniel essayait d'avoir l'air nonchalant, ça ne fonctionnait jamais.

Justin secoua la tête.

— N'essaie pas, frérot. T'aurais sûrement pas détruit ta chambre pour quelque chose qui n'est « rien ». Sans parler du cri que j'ai entendu.

— Je n'ai pas crié !

— J'attends toujouuuuuuurs… chantonna Justin.

Daniel soupira et ferma les yeux.

— OK. Tu sais que papa veut que j'aille à ce « rassemblement » ce soir ? Je voulais juste trouver quelque chose avant d'y aller. Mais je l'ai perdu.

— Je vais t'aider à chercher.

Justin entra dans la chambre et referma la porte derrière lui.

— Qu'est-ce que c'est ?

Daniel se détourna rapidement, mais Justin eut le temps de voir les joues de son frère rougir de gêne.

— J'étais en train de composer des paroles de chansons, marmonna-t-il. Des paroles *personnelles*. Je me suis rendu compte qu'elles étaient manquantes pendant qu'on était à l'école, mais je pensais peut-être les avoir laissées ici, donc…

— Tu ne les as pas sur ton ordinateur? demanda Justin.

Daniel ne lâcha pas du regard le dégât sur le plancher.

— Oui, mais c'est pas ça le problème…

Il leva la tête brusquement.

— Attends une minute. Je m'en souviens maintenant. Je les avais sorties à l'école… dans le cours d'anglais! J'essayais de voir si je pouvais faire rimer « cœur » et « noir » dans la section du milieu.

— Tu m'as perdu à « rimer », blagua Justin.

— Peu importe, dit Daniel. Les paroles doivent encore être là!

— Et puis?

Justin secoua la tête en s'agenouillant à côté de son frère et commença à fouiller dans les piles de feuilles de papier.

— Qu'est-ce que ça peut bien faire ? C'est pas comme si t'avais à être gêné. Tu composes très bien, donc... *Oh !*

Justin avait la bouche béante lorsqu'il comprit enfin.

— Attends une minute. Est-ce que la chanson était à propos de...

— Ne le dis pas ! dit Daniel avec des yeux affolés.

C'était sans aucun doute à propos de Debi ! comprit Justin.

Il s'efforça de ne pas laisser sortir le fou rire qui grandissait en lui. Il était un bon frère : il allait attendre que Daniel soit bien éloigné avant d'abandonner et de s'esclaffer.

— Écoute, je vais t'aider à ramasser ce fouillis, et je suis certain que tu trouveras la chanson à l'école demain. J'imagine que les paroles ne comprenaient rien de trop... *révélateur* ?

L'expression angoissée de Daniel voulait tout dire. Il lâcha un gémissement.

Oh, oh. La chanson avait totalement quelque chose de révélateur.

Justin mordit l'intérieur de sa joue.

— Mais ces paroles sont seulement importantes parce que tu allais les utiliser pour ta grosse audition importante pour le *Homecoming*, n'est-ce pas ?

Il regarda son frère en clignant des yeux et en essayant d'avoir l'air innocent.

— Parce que nous savons tous à quel point tu adoooores… le *Homecoming* !

La porte s'ouvrit avant que Daniel puisse répondre, ce qui était probablement une bonne chose, parce que Justin avait le sentiment que son frère aurait pu foncer sur lui à n'importe quel moment.

— Daniel !

Leur père surgit dans la chambre, les cheveux ébouriffés et le visage rayonnant d'excitation. Lorsqu'il s'arrêta au beau milieu du chaos, il ne jeta *même pas* un coup d'œil au désordre qui recouvrait le plancher.

— Prêt à hurler ?

Daniel se contenta de gémir et reposa sa tête sur ses mains.

— Allez, fiston !

Son père donna un coup de poing amical sur son épaule.

— C'est l'heure d'y aller ! Allons montrer à tous ces loups de quoi tu es fait !

— OK, papa, dit Daniel en poussant un énorme soupir. Si je suis obligé de le faire.

Alors que Justin regardait la scène en tentant de ne pas avoir l'air de trouver ça drôle, Daniel se traîna hors de la chambre comme un prisonnier en chemin vers son dernier repas, tandis que leur père grognait et donnait des coups de poing d'excitation dans les airs.

— Amusez-vous! dit Justin en leur envoyant la main avec enthousiasme.

Son jumeau était peut-être loup-garou… mais ce soir-là, il ressemblait davantage à un chien battu qu'à un lupin!

Pauvre Daniel, pensa Justin.

Il secoua la tête et se mit à trier les piles de feuilles de papier et de vêtements qui se trouvaient sur le sol. Pour sa part, Justin ne pouvait penser à rien d'autre qui pourrait être plus excitant qu'un rassemblement de loups-garous. C'était dommage que son frère loup-garou ne soit pas du même avis.

Une minute!

Justin s'arrêta soudainement. Il fixa le tee-shirt de groupe qu'il tenait d'une main et la pile de partitions qu'il tenait de l'autre.

OK. Là, ça ne marche pas.

Comment s'était-il retrouvé seul à faire le ménage de la chambre de Daniel?

Comment j'ai fait pour aboutir ici? se demanda Daniel. *Je pense que j'aurais préféré faire le ménage de ma chambre.*

Alors que la nuit tombait, toute la communauté loup-garou de Pine Wood se rassemblait autour d'un groupe de petits feux au centre d'une clairière dans la forêt. La fumée des bûches qui brûlaient se combinait à l'odeur piquante des pins qui s'étendaient en hauteur autour d'eux… et à l'odeur musquée sauvage d'environ deux douzaines de loups-garous qui devenaient de plus en plus excités.

Daniel sentait la même excitation commencer à monter dans ses veines comme une démangeaison… mais encore plus que ça, il était incrédule. Ce n'était *vraiment pas* son truc, tout ça! Personne n'était vêtu de noir. Tous portaient des vêtements athlétiques amples, prêts pour une transformation rapide à n'importe quel moment. Il ne connaissait personne autour de lui, à l'exception de…

— Te voilà!

Kyle surgit de la noirceur, suivi du reste des Bêtes de l'équipe de football. La lumière des flammes vacillait sur leurs visages en projetant des ombres sur leurs sourires féroces.

— Allez, Packer! Es-tu prêt à courir?

À côté de Daniel, son père rit.

— On dirait qu'ils pensent que tu es…

— Oh, je suis prêt, répondit Daniel en parlant plus fort que son père pour s'assurer qu'il ne révèle pas le secret qu'il ne savait même pas qu'il gardait.

Il pila très fort sur le pied de son père en finissant de parler.

— J'espère juste ne pas m'épuiser, car il faut que je garde de l'énergie pour le terrain de football!

— Terrain de football? répéta son père d'une toute petite voix.

— Il faut juste que je parle de quelque chose à mon père d'abord. OK? dit Daniel à Kyle. Ne commencez pas cette course *super amusante* sans moi, OK?

— On n'attend pas, dit Kyle en haussant les épaules. Tu devras travailler fort si tu veux nous rattraper!

Les Bêtes se mirent à hululer et à rire aux éclats, puis se retournèrent et partirent à pas lourds dans la noirceur.

Après ce qui lui sembla une éternité, les Bêtes furent enfin hors de portée de voix, ce qui était pas mal loin pour un loup-garou. Pendant que Daniel attendait, il voyait l'expression de son père passer de la confusion au choc pour ensuite se transformer en indignation.

— Mettons les choses au clair, dit son père lorsqu'ils purent enfin parler.

Il baissa sa voix pour chuchoter, mais aux oreilles de Daniel, c'était aussi fort que le tonnerre.

— Est-ce que tu fais *semblant* d'être Justin?

Daniel grimaça.

— Ce n'est pas pour moi, papa. C'est pour lui. Tous les gars de l'équipe pensent qu'il est un loup-garou. C'est pour ça qu'ils l'ont accepté. Si jamais ils découvrent qu'il n'est pas un…

Daniel eut un mouvement de recul en pensant aux Bêtes.

— Ça rendrait les choses vraiment, vraiment gênantes. Honnêtement, ça serait une mauvaise idée.

— Pire que mentir? dit son père en fronçant les sourcils. Je n'aime pas tous ces secrets. Ni l'un ni l'autre de vous ne devrait avoir honte de qui il est. Il n'y a rien de mal à être un loup-garou, et il n'y a pas de mal à être un humain non plus.

— Ce n'est pas pour toujours, dit Daniel. C'est seulement jusqu'à ce que Justin puisse montrer au reste de l'équipe qu'il est tellement bon qu'il mérite d'être là, loup-garou ou non.

— Je ne suis pas sûr que... commença son père.

Puis, il soupira.

Les feux qui crépitaient autour d'eux envoyaient des ombres sur son visage et, tout d'un coup, il eut l'air fatigué, comme si toute l'excitation le quittait.

— C'est de ma faute, n'est-ce pas ? C'est moi qui ai dit à Justin qu'il serait le loup-garou. J'ai aussi fait savoir à tous les autres loups en ville que c'était ce à quoi je m'attendais. Si seulement je n'avais pas fait cette erreur...

— Papa, ça va.

Daniel se força à sourire.

— Tout est réglé... si on veut. Justin a été accepté dans l'équipe quand même. Bientôt, il pourra dire la vérité aux autres gars. Il faut juste qu'on le couvre jusqu'à ce qu'il soit prêt.

— Si t'es sûr...

— Je le suis, dit Daniel. Tu sais qu'il le ferait pour moi.

— C'est vrai.

L'expression de son père s'allégea.

— Dans ce cas… je crois qu'une course t'attend, n'est-ce pas ?

Puis, il se retourna, mit ses mains en coupe devant sa bouche.

— Hé, Kyle, attends Justin ! lança-t-il d'une voix qui était à moitié un cri et à moitié un hurlement.

Son père lui fit un clin d'œil.

— Génial, gémit Daniel.

Il prit une grande respiration, se retourna et commença à courir dans la noirceur, laissant les feux et la lumière derrière lui.

Peu après, il retrouva Kyle et les autres Bêtes. Les gars s'étaient arrêtés sur la berge d'une rivière à moins d'un kilomètre des feux du rassemblement. Alors que Daniel s'approchait d'eux en courant le long de la berge, il vit qu'Ed et Chris faisaient une compétition de pompes tandis que Kyle servait de juge.

Mais lorsque Kyle leva le regard, il siffla pour faire arrêter l'exercice.

— Hut! Vingt-neuf! Trente-trois!
Quinze! Caroline!

Quoi?!

Daniel se figea, paniqué, en regardant
les autres commencer à se mettre en position. Il ne connaissait aucune des forma-
tions de l'équipe! Puis, Kyle s'esclaffa et
agita sa main dans les airs pour faire arrêter tout le monde.

— Je blague! C'est une blague. Ce n'est
pas une session d'entraînement, les p'tits
loups. Nous sommes ici pour *courir*!

Les Bêtes se mirent à hurler d'excitation.
Tout autour de lui, Daniel pouvait sentir les
cheveux se transformer en fourrure.

C'est l'heure.

Il ferma les yeux et laissa la transformation se produire. Des vagues de chaleur
le traversaient, et des poils surgissaient sur
toute sa peau, recouvrant son visage et ses
mains. Ses ongles s'allongeaient en griffes
et ses dents en crocs… et chaque pulsation
dans les bois qui l'entouraient semblait
trouver écho dans son corps.

Il s'était *transformé*.

Maintenant que chacun de ses sens
était intensifié, il *sentit* les autres commencer à courir avant même d'ouvrir ses yeux.

Il s'imprégna de leur excitation, de la pulsation intense de leur compétition, et il sentit cette même pulsation dans son propre corps. Puis, il se mit à courir.

Il sprintait comme l'éclair. Il n'avait jamais couru aussi rapidement de sa vie. Il ne savait même pas que c'était possible!

— Wô!

Ed Yancey beugla son approbation alors que Daniel le dépassait à vive allure.

— Vas-y, Packer!

Les sens pleinement éveillés, Daniel esquivait des arbres et des branches tombées, se poussant jusqu'à ce qu'il ait rattrapé Kyle.

Rends Justin fier! se commanda-t-il...

Personne ne pourrait dire qu'il n'essayait pas, maintenant, ou alors qu'il ne faisait pas de son mieux pour être un *vrai* loup-garou...

Mais sérieusement... Est-ce que ça se résume vraiment à ça?

Daniel poussa un soupir mental alors qu'il sautait par-dessus une masse de racines d'arbres emmêlées. D'accord. Quand ces gars se transformaient en loups, ils pouvaient tous courir très vite et sauter très haut. Et puis après? Est-ce que ces crétins pouvaient avoir de bonnes conversations ? Ou composer une chanson ?

Et en parlant de chansons… Qu'était-il arrivé à ses paroles de chansons ? Il les avait sans aucun doute avec lui dans le cours d'anglais, du moins au début du cours d'anglais. Il les avait déposées pour regarder Justin approcher Riley. Mais que leur était-il arrivé après ça ?

Et — oh, oh — où était passé le sol ?

Daniel revint à lui, regarda vers le bas et ne vit que de l'air vide sous ses pieds. Il avait sauté par-dessus le bord d'une falaise !

Avant même de pouvoir lancer un cri en tombant, une puissante main griffée le saisit par le collet. Kyle le remonta et le déposa sur la terre ferme.

— Packer.

Pour une fois, le chef des Bêtes avait l'air totalement impressionné.

— T'es vraiment extrême, mon gars, mais t'es aussi stupide. C'est bien cool que t'aies essayé, mais on a tous besoin de plus d'expérience avant d'être prêts pour les trucs de cascadeur.

— D'accord, dit Daniel.

Il se secoua en respirant profondément.

— Eh bien, ça valait la peine d'essayer, non?

Aussi bien faire semblant que c'était voulu!

— Ouais, dit Kyle avec un grand sourire. Si t'as le goût de devenir de la bouffe à vautour! Retournons au camp.

Daniel y retourna en courant plus lentement. Son cœur battait encore très fort dans sa poitrine. Il devait apprendre à se concentrer : il avait failli finir comme tache en forme de loup-garou au sol. Alors qu'il avançait tranquillement, il était entouré d'une foule de Bêtes, lesquelles lui donnaient des tapes d'admiration dans le dos. Lorsqu'il arriva au groupe de feux avec les autres, son père l'attendait.

— Et puis?

Le visage de son père avait une drôle d'expression; c'était un mélange d'espoir et de culpabilité.

— Qu'as-tu pensé de ta première vraie course?

C'était pas mal ennuyant jusqu'à ce que je saute accidentellement d'une falaise, se dit Daniel.

Puis, il grimaça.

Je ne peux pas lui dire ça!

— C'était amusant, dit-il en faisant de son mieux pour avoir l'air convaincant.

Il n'était pas sûr d'avoir réussi.

Son père secoua la tête et tendit la main pour ébouriffer les cheveux de Daniel.

— Tu devras couper ça bientôt.

— Pas vrai! gémit Daniel. J'ai déjà eu droit à une coupe de cheveux la fin de semaine passée!

— Tu es un loup, maintenant, fiston... Que ça te plaise ou non.

Son père avait sûrement vu le doute sur le visage de Daniel.

— Mais tu *vas* aimer cette prochaine partie. J'en suis convaincu.

— Qu'est-ce que c'est? demanda Daniel.

— Regarde.

Papa désigna le ciel.

Les nuages commençaient enfin à se dissiper et révélaient une grosse lune blanche presque pleine qui illuminait les deux douzaines de loups-garous de Pine Wood qui s'étaient regroupés et qui tendaient le cou pour regarder le ciel. Le clair de lune les illuminait, baignant leurs visages, et des frissons parcoururent le corps de Daniel.

— Que se passe-t-il? chuchota Daniel.

Son père ne répondit pas en paroles. Il mit une main sur l'épaule de Daniel, ouvrit la bouche, et *hurla*!

Tous les loups du rassemblement se joignirent à lui. Le son enveloppa Daniel comme une demande, exigeant une réponse de son corps. Il inclina la tête vers l'arrière et laissa les hurlements jaillir de sa propre gorge, aigus, crus et authentiques, s'entortillant autour de ceux de la meute. Des hurlements remplirent la nuit, mélancoliques et mélodiques, envoûtants dans leur justesse, rassemblant tous les loups-garous... et Daniel en faisait partie.

Chaque centimètre de son corps vibrait d'excitation. Une joie frénétique l'envahit et renforça ses hurlements. Il ne s'agissait pas d'être macho. Il ne s'agissait pas d'être fort physiquement. C'était de la *musique*, peut-être bien la plus belle musique qu'il ait jamais entendue. Et non seulement il se sentait loup-garou pour la première fois, mais il venait également d'avoir une excellente idée.

Il pourrait faire des *hurlements* la partie centrale du son de son groupe. Ça leur donnerait une approche extra-spéciale et les rendrait uniques, et... encore mieux, ça serait un hommage authentique au côté de lui-même qu'il n'avait jamais vraiment compris jusque-là.

Alors que Daniel s'abandonnait à la nuit et à la lune, il se rendit compte de quelque chose : ce rassemblement de loups-garous n'était pas si pénible que ça, après tout. En fait, c'était plutôt génial !

CHAPITRE 4

L e lendemain matin, Justin entra par les portes principales de l'école quarante minutes avant le début des cours. En temps normal, s'il avait été debout aussi tôt que ça, il aurait bâillé et se serait plaint mais, cette fois-ci, il avait fait exprès pour arriver tôt.

Il restait moins d'une semaine avant le *Homecoming*; il était donc certain de retrouver Riley ici en train d'organiser… *quelque chose*. Et qu'elle organise le match, le bal ou la campagne de Debi, il savait qu'il voulait la voir à l'œuvre.

Il sifflait joyeusement en arrivant dans le premier corridor… et fut presque écrasé par les Bêtes lorsqu'elles s'approchèrent de lui en meute.

— Packer! Mon gars! tonna Kyle.

Sa bousculade amicale envoya Justin valser directement dans les casiers derrière lui.

— Es-tu prêt à courir encore après l'école?

— Euh…

Justin se redressa en espérant ne pas avoir laissé une bosse sur les casiers. Il était pas mal certain que Kyle se référait au rassemblement d'hier soir, mais qu'était-il arrivé? Toute la joie que Justin avait ressentie en arrivant à l'école tôt s'évapora d'un seul coup. C'était idiot d'être parti si tôt. S'il avait été le Justin paresseux habituel, il aurait pu parler à Daniel au déjeuner pour lui demander ce qui s'était passé. Et il aurait su ce que Kyle voulait dire par «prêt à courir».

Il fit la seule chose qui lui vint à l'esprit: il haussa les épaules.

— Pourquoi pas, dit-il. Ça serait amusant.

— Ouais?

Kyle le regarda en fronçant les sourcils.

— On dirait que t'as besoin d'un remontant.

Il fouilla dans la poche de son manteau et ouvrit un contenant en plastique.

— Tiens !

Il lui tendit un morceau de viande crue.

— Je la gardais pour le dîner, mais je crois que t'en as plus besoin que moi.

Beurk !

Justin avala sa salive avec peine tout en s'éloignant de la viande rouge dégoulinante.

Ne vomis pas ! se commanda-t-il.

— Euh… en fait, je viens de me souvenir de quelque chose, marmonna-t-il. Je dois aller aider Riley.

— Ha ! s'esclaffa Ed. Tout d'abord, il y a Mackenzie et, maintenant, il y a Riley ! Packer, tu dois te faire une idée, espèce de *tombeur* !

Des sifflements accompagnèrent Justin tout le long du corridor. Il enfonça ses mains dans les poches de ses jeans et marcha encore plus rapidement. Il refusa de se retourner pour argumenter, même lorsqu'ils commencèrent à prendre des paris sur qui Justin «aimaiiiiiiiiiiiiiiiiit» le plus entre Riley ou Mackenzie, parce qu'il sentait que son visage était devenu rouge vif de gêne. Il ne voulait surtout pas mettre de l'huile sur le feu !

Lorsqu'il trouva enfin Riley, cinq minutes plus tard, il poussa un soupir de soulagement. Elle s'était emparée d'une classe vide comme camp de base pour toute son organisation, et malgré l'heure matinale, elle avait déjà mis trois tables ensemble pour les recouvrir de papier cartonné, de marqueurs, de rubans et de cahiers. Debi, Sarah et Eileen étaient assises aux tables et l'aidaient à faire des affiches.

— Justin ? Qu'est-ce que tu fais ici ? s'écria Riley lorsque Justin entra.

Justin enfonça ses mains encore plus profondément dans ses jeans et voûta ses épaules alors que les autres filles arrêtaient de parler en le fixant, manifestement en état de choc. Est-ce que c'était devenu une zone «pas de gars permis» sans que personne l'en avertisse ?

— Euh, j'ai pensé que tu aurais besoin d'un coup de main avec tout le…

— Je ne peux pas croire que tu offres ton aide pour organiser le bal du *Homecoming* ! Tu dois être le premier gars de toute l'histoire des gars à se porter *volontaire* !

Riley se précipita de l'autre côté du pupitre et l'entoura de ses bras.

— T'es génial !

— Eh bien…

La voix de Justin ressemblait davantage à un couinement lorsqu'elle le lâcha.

Le câlin avait été génial… et il était content d'avoir impressionné Riley, mais il se déplaçait à présent d'un pied à l'autre avec nervosité. Allait-il vraiment être le seul garçon ?

Puis, la porte s'ouvrit à nouveau derrière lui.

— Hé, Riley.

C'était Daniel, et il envoya nonchalamment la main au groupe de filles.

— Besoin d'aide ?

— Je n'en crois pas mes propres yeux.

Riley sourit et se précipita pour faire un câlin à Daniel aussi.

— Les jumeaux Packer sont les meilleurs.

Justin poussa un soupir de soulagement. Il ne serait pas le seul gars, après tout…

Mais il devait admettre que ça avait été bien, de façon légèrement effrayante, d'être

« unique » aux yeux de Riley pendant un instant.

Daniel secoua la tête, impressionné, en observant le camp de base de Riley. Maintenant que Justin et lui étaient bien installés avec leur tâche du matin — dessiner des loups géants qui symboliseraient l'équipe de football sur les banderoles qui seraient suspendues dans l'auditorium —, Riley était en mouvement constant, comme une abeille qui ne pouvait s'arrêter.

À un moment, elle poussait Debi à mettre plus de brillants sur son tee-shirt de campagne pour le titre de reine du *Homecoming* et, l'instant d'après, elle vérifiait les dessins et l'inventaire pour le bal. Son cahier de notes était si énorme que Daniel n'aurait pas été surpris d'apprendre qu'elle n'avait pas dormi de la nuit pour y travailler.

Alors qu'il la regardait engloutir le contenu d'une canette de boisson énergétique, il secoua la tête pour montrer sa sympathie. Elle semblait épuisée.

— Riley…

Debi avait un air désolé en coupant une autre longue lanière de ruban.

— Je suis désolée. Je veux vraiment aider. Je sais à quel point tu travailles fort. Mais mener une campagne active ? Je ne sais pas. Et si tout le monde pense que je suis envahissante, ou alors agaçante ?

— Comme Mackenzie, tu veux dire ? grogna Justin. Fais-moi confiance ; personne ne pourrait te trouver envahissante en comparaison à elle.

— Ça, c'est vrai, dit Sarah en hochant la tête. Mackenzie a l'exclusivité totale en ce qui concerne le fait d'être envahissante *et* agaçante.

— Et il me semble que la reine du *Homecoming* se fait traiter comme une reine pendant toute une semaine après le *Homecoming*, ajouta Daniel. Ça veut dire que toutes les filles de notre année seraient obligées de faire partie de sa cour.

— Aïe ! dit Eileen en frissonnant.

— Ça veut dire que Mackenzie va avoir un entourage, dit Riley. Un entourage sanctionné par l'école.

Elle lança un regard sévère à Debi.

— La plupart des filles qui deviennent des reines n'en prennent pas avantage...

mais Mackenzie n'est *pas* comme la plupart des filles.

— Veux-tu vraiment ne rien faire et laisser ça arriver? demanda Sarah.

Debi se mordilla la lèvre.

— Laissez-moi y penser.

— Pensons-y *tous*, d'accord?

Riley lança un regard taquin à Daniel.

— Allez, les amis. Nous devons *motiver* cette fille!

Sa voix sortit comme un croassement, et Daniel fronça les sourcils.

— Comment va ta gorge? Toutes ces boissons énergétiques gazeuses ne doivent pas trop aider.

— Je sais.

Elle soupira en se retournant vers l'inventaire.

— Mais je n'ai pas vraiment le choix. Je dois rester éveillée.

Daniel et Justin s'échangèrent un regard inquiet.

— Eh bien, n'oublie pas que tu dois *aussi* être en pleine forme demain pour l'audition à la compétition *Guerre des groupes* à laquelle *tu* nous as inscrits. Tu devrais peut-être dormir plus et boire moins de boissons énergétiques.

— Je vais être en pleine forme demain. Promis. Je vais mettre ça sur…

Riley fouilla dans sa pile de feuilles et en sortit une feuille froissée remplie d'instructions gribouillées. Certaines étaient rayées, mais la plupart ne l'étaient pas.

— … ma liste de choses à faire !

Elle ajouta une note sur le peu d'espace qu'il restait, puis elle ramassa une pile massive de feuilles de papier et de planchettes à pince et utilisa son épaule pour remettre ses cheveux en place.

— Donc, veuillez bien m'excuser, il me reste des choses à organiser.

— Quelles choses ? demanda Justin en se levant à moitié de son siège.

— Mon prochain objectif, chantonna Riley en essayant — et en ne réussissant pas — d'éloigner une mèche rebelle de cheveux blonds de son visage.

— Qui est ? demanda Daniel.

— Qui sera atteint, dit Riley tandis que Sarah l'aidait à placer la mèche de cheveux derrière son oreille.

Puis, elle baissa la tête en geste d'angoisse.

— Tu sais quoi ? Je suis tellement occupée que je ne suis même pas sûre de la prochaine chose que je dois faire ! Mais je suis sûre que je le saurai quand j'arriverai là…

Elle déplaça les planchettes à pince jusqu'à ce que son horaire organisationnel soit sur le dessus de la pile.

— Reste à savoir où « là » se trouve !

Alors qu'elle s'éloignait d'un pas rapide, la cloche de l'école sonna, avertissant tout le monde que le premier cours était sur le point de commencer. Daniel ramassa ses livres et emboîta le pas à Debi pour se rendre au premier cours avec elle.

— Bon…

Debi lui lança un regard taquin.

— Je trouve ça un peu difficile à croire. *Daniel Packer* aide à organiser le bal du *Homecoming et* passe une audition pour pouvoir y jouer aussi ! T'es sûr que tu ne perdras pas de crédibilité auprès de ton groupe en t'impliquant dans toutes ces activités excitantes ?

Daniel rit.

— Ouais, probablement.

Il haussa les épaules.

Les boucles rousses de Debi rebondissaient et frôlaient l'épaule de Daniel alors qu'ils marchaient côte à côte. Même s'ils étaient entourés d'une foule, les sens de loup-garou de Daniel captaient facilement le léger parfum floral de son shampooing. Et encore mieux, son sourire taquin lui redonnait la confiance qu'il avait perdue depuis le désastre au Bœuf et bonjour.

— C'est un peu plus « grand public » que ce que nous faisons d'habitude, admit-il, mais c'est pas grave. Le bal représenterait notre plus grande audience à ce jour.

Et aider à organiser le Homecoming *veut dire que je pourrai passer plus de temps avec toi,* ajouta-t-il silencieusement.

— C'est vrai, dit Debi.

Elle haussa les sourcils.

— Mais est-ce que ça va « vraiment *rocker* » ?

Daniel grimaça lorsqu'il reconnut la phrase.

— Oublie ce que j'ai dit au Bœuf et bonjour, dit-il. S'il te plaît !

Enfin, oublie ce que Justin a dit pendant qu'il faisait semblant d'être moi !

— En fait, avoua-t-il, je n'étais pas trop excité quand j'ai découvert que Riley nous avait inscrits. Mais maintenant que j'ai eu le temps d'y penser, je crois que ça va être bon pour nous. Le groupe a besoin d'acquérir de l'expérience en jouant devant un public.

Debi hocha la tête d'un geste compréhensif alors qu'ils s'approchaient de la porte de leur classe.

— Ça sera un bon entraînement.

— Absolument.

Daniel baissa la voix lorsqu'ils passèrent à côté de Milo, qui était accoté sur son casier tandis qu'il écrivait un message texte. Milo avait déjà perdu l'audition; Daniel ne voulait pas le faire se sentir encore plus mal en parlant du groupe devant lui.

— Si on peut passer à travers ce spectacle, les gars pourront se prouver qu'ils n'ont pas à avoir peur des grosses foules.

— Ha!

Milo se redressa et fit un grand sourire. Il avait évidemment entendu tout ce qu'ils avaient dit.

— Cette fois-ci, Packer, je suis totalement d'accord avec toi.

— Euh... ah oui?

Daniel le regarda avec méfiance.

— Absolument, dit Milo.

Son petit sourire s'élargit en sourire suffisant.

— Si quelque chose ne fait pas un peu mal, ça ne vaut probablement pas la peine. N'est-ce pas? ajouta-t-il.

Daniel se figea.

Il reconnaissait cette ligne.

C'était quasiment une citation directe de *Ah-loup l'amour,* la chanson sur laquelle il travaillait dans le cours d'anglais la veille… les paroles qu'il avait perdues juste après que Milo soit «tombé» à côté du bureau de Daniel!

Alors que Daniel fixait l'expression suffisante de Milo, la vérité le frappa comme une tonne de briques.

Il n'avait pas «perdu» ses paroles; elles avaient été *volées*!

— Daniel?

Debi toucha son épaule, l'air inquiète.

— Est-ce que ça va?

— Je vais bien, dit Daniel d'un air inquiète. Ce n'est rien.

Mais pendant tout le trajet vers le local de son premier cours, il ne put oublier le sourire suffisant de Milo. Il avait sans aucun doute mis la main sur les paroles de Daniel, mais à quel point les avait-il étudiées?

Daniel avala sa salive avec peine en se posant la vraie question : *à quel point est-il évident que cette chanson est à propos de Debi ?*

Et si jamais c'était *totalement* évident, combien de temps est-ce que ça prendrait avant que Milo en parle à tout le monde à l'école ?

CHAPITRE 5

Six heures plus tard, Daniel se trouvait à l'extérieur de l'auditorium principal avec les membres de son groupe. La *Guerre des groupes* était sur le point de commencer, mais il ne s'était jamais senti moins prêt que ça. Il ne pensait qu'à sa chanson perdue, *Ah-loup l'amour...* et, pour une fois, les membres de son groupe n'aidaient pas.

— Je ne suis même pas certain de *vouloir* gagner, dit Otto, qui était accoté contre le mur avec un air renfrogné. On connaît genre trois chansons. Notre session durerait environ dix minutes, peut-être douze si Daniel faisait un solo improvisé, mais c'est pas mal tout !

— Ouais, mon gars, dit Nathan. Tu avais dit que tu travaillais sur du nouveau matériel. Où est-il ?

— Euh…

Les doigts de Daniel tapotaient la guitare, démontrant sa nervosité.

— J'avais une nouvelle chanson, mais elle ne faisait pas l'affaire. Pas pour le *Homecoming*. Elle était trop… intense.

Il ne pouvait pas raconter ce qui s'était passé aux autres membres du groupe juste avant l'audition. Il ne voulait surtout pas les faire paniquer aussi. Mais pourquoi Milo avait-il volé *Ah-loup l'amour* ? Et qu'allait-il en faire ?

Peu importe son plan, ça ne pouvait pas être bon. Milo avait fait un serment mélodramatique de vengeance en leur promettant un « orage de vengeance ».

Est-ce que c'est le début de l'orage ? se demanda Daniel.

Mais les autres membres du groupe étaient tracassés par d'autres choses.

— *Trop* intense ?

Nathan secoua la tête, incrédule, envoyant ses cheveux colorés aux teintes d'un camouflage d'armée sur son visage. Cette dernière couleur était assortie à son vieux manteau délabré à motifs de camouflage et à ses ongles ornés de vernis kaki.

— De quoi tu parles, mon gars? demanda-t-il. Nous *sommes* intenses. Nous sommes Dans la bergerie!

Daniel essaya de faire un sourire, mais il sentit qu'il se transformait en grimace.

— Ouais, eh bien, le *Homecoming* est censé être une célébration, non? On doit jouer des morceaux joyeux.

— Joyeux?

On aurait dit que Daniel lui avait parlé en chinois.

— Ça veut dire quoi, ça?

Otto se laissa glisser encore plus bas sur le mur.

— Peu importe ce que ça veut dire, je suis pas mal sûr que ça ne *rocke* pas, dit-il d'une voix solennelle.

— Allez, les gars!

Riley, qui sautillait sur le bout de ses orteils, saisit la main d'Otto et le tira vers elle.

— Nous *rockons toujours*! Et on peut *rocker* aussi fort avec de la musique joyeuse. Nous sommes Dans la bergerie! Je veux que tout le monde projette du positivisme!

Ces boissons énergétiques lui font peut-être du bien, en fin de compte, se dit Daniel en regardant Riley pétiller d'enthousiasme.

Mais lorsqu'elle commença les «exercices de réchauffement», il sentit une boule dans son estomac.

— Prenez de grandes respirations, commanda Riley, et ayez des pensées positives.

Daniel jeta un coup d'œil à Nathan, qui avait l'air aussi confus que si on venait de lui demander de donner la racine carrée de trente-sept. Lorsque Otto tenta de prendre une grande inspiration, il faillit s'étouffer.

— Mmh…

On sentait le stress dans la voix de Riley. Elle échangea un regard paniqué avec Daniel, puis elle regarda les autres membres du groupe.

— Bon travail, les gars, dit-elle avec un sourire nerveux et en levant le pouce d'un geste tremblant. Vous avez bien fait ça!

Daniel se contenta de gémir en fermant les yeux.

C'est perdu d'avance.

Puis, il entendit une voix moqueuse familière derrière lui.

— Bonne chance, les gars… parce qu'on dirait que vous allez vraiment en avoir besoin !

Daniel sentit les muscles de son ventre se contracter et se retourna lentement. Milo s'approchait d'eux en se pavanant, suivi de trois autres garçons avec des guitares. Il s'agissait manifestement des membres de son nouveau groupe, et ils avaient tous une expression de dégoût sur le visage.

— C'est vraiment ça, la compétition ? demanda le garçon derrière Milo.

Il secoua la tête en geste de dégoût.

— Sérieusement ?

— Eh bien.

Le garçon à l'arrière fit un sourire suffisant et joua un accord discordant sur sa guitare noire racée.

— Dans ce cas, ça devrait être facile.

Les portes de l'auditorium s'ouvrirent ; la directrice Caine les attendait juste à l'intérieur avec une expression détachée.

— Tout le monde est prêt pour la *Guerre des groupes* ?

Daniel s'efforça de sourire et désigna Milo d'un geste poli.

— Après vous.

— C'est ça, dit Milo. Laissez passer les gagnants !

Daniel enfonça ses mains dans ses poches jusqu'à ce qu'il soit certain qu'il n'allait pas se transformer, puis il suivit les autres à l'intérieur.

Tous les sièges de l'auditorium étaient vides, et la salle semblait gigantesque. Seule la directrice Caine était là, avec un air à la fois ennuyé et impatient.

Est-elle vraiment la bonne personne pour décider de la musique pour un bal ? se demanda Daniel. *Je me demande si elle a déjà aimé une chanson de toute sa vie !*

Pourtant, ils n'avaient pas le choix.

— Qui veut y aller en premier ? demanda-t-elle, sa voix résonnant dans l'espace massif.

— Nous ! répondirent Milo et Riley en même temps.

La directrice Caine poussa un gros soupir et regarda sa montre comme si elle ne faisait que compter les secondes avant qu'elle puisse partir.

— D'accord, dit-elle. Nous allons tirer à pile ou face.

— Face ! cria Milo.

Puis, il leva le poing et hurla lorsque la pièce atterrit, la face se trouvant sur le dessus.

— Nous avons gagné!

— *Pas encore*, marmonna Riley.

Elle l'avait dit si doucement qu'elle pensait probablement que personne ne l'avait entendue, mais l'ouïe de loup-garou de Daniel lui avait permis de l'entendre. Il échangea un petit sourire avec elle alors que Dans la bergerie s'installait dans la première rangée de l'auditorium en laissant le groupe de Milo monter sur scène.

Après quelques instants, Daniel se pencha vers l'avant sur son siège en fronçant les sourcils. Les membres du groupe de Milo semblaient cafouiller pour brancher leurs instruments, comme s'ils ne l'avaient pas fait souvent, mais ce n'était pas ça qui avait capté son attention. Il manquait quelque chose. Il n'arrivait pas à voir ce qui clochait, mais…

— Hé, dit Otto en tapant l'épaule de Daniel. Où est leur batteur?

Milo lui jeta un regard dédaigneux à partir de la scène.

— Nous n'avons pas besoin d'un batteur ennuyant, leur lança-t-il. Parce que, contrairement à vous, nous sommes *tous* des *rock stars* dans ce groupe!

Puis, il saisit le microphone, le balança devant lui et prit une pose.

— Eh oui... Nous sommes Orage de vengeance!

Daniel dut recouvrir sa bouche d'une main pour s'empêcher de rire.

Ils ne sont pas sérieux, là!

Franchement. Est-ce que Milo avait *si* mal pris le fait de perdre contre Riley? Le nom de son groupe était quasiment identique au serment de vengeance qu'il avait fait... mais bon, ce nom avait encore moins de sens que d'avoir un groupe rock sans batteur!

Ne ris pas! se commanda Daniel. *Ne ris pas!*

Puis, Milo entama sa chanson... et Daniel se dit qu'il pourrait bien ne plus jamais rire de sa vie.

Les guitares dissonaient. Les accords étaient brouillés. La mélodie était nouvelle et pas familière... mais Daniel connaissait toutes les paroles.

— À loup l'amouuuuur! se lamentait Milo.

L'horreur forma une boule de plomb dans la poitrine de Daniel.

Je ne peux pas croire que ça arrive!

Nathan se pencha pour chuchoter à l'oreille de Daniel.

— Aïe, ils ont besoin de se débarrasser de la personne qui a écrit ces paroles!

Daniel ne répondit pas. Il en était incapable. Il ne pouvait que rester là à écouter, figé, pendant que son travail se faisait détruire en face de lui.

Il n'y avait pas de mélodies dans le livre de chanson de Daniel, donc Milo avait dû en inventer une. Le résultat final était complètement différent de la façon dont Daniel avait imaginé la chanson… mais est-ce que c'était la seule raison pour laquelle elle était si mauvaise?

Les paroles étaient-elles aussi nulles que son interprétation?

Avec un dernier accord discordant, la chanson arriva à sa fin… et se conclut par un silence gênant.

Daniel était, à l'exception de Milo, la seule personne qui savait ce qui venait de se passer, mais il n'était pas le seul en état de choc total. Tous ceux qui l'entouraient, les membres de son groupe, fixaient la scène en état d'incrédulité horrifiée.

Il est évident qu'aucun d'eux n'a entendu une chanson aussi mauvaise que celle-là depuis très longtemps, se dit pitoyablement Daniel. *Je ne pourrais pas écrire une chanson même si ma vie en dépendait.*

— Hum.

La directrice Caine se racla la gorge.

— Nous avons tous… j'en suis certaine… *apprécié* vos efforts, monsieur « Vengeance ».

Elle se racla la gorge à nouveau, et on aurait dit qu'elle avait physiquement mal.

— Dans la bergerie ? C'est à votre tour, puisque nous devons le faire.

Daniel eut un moment de recul en entendant la tonalité déprimée de sa voix. Elle ne s'attendait manifestement pas à ce que son groupe soit meilleur que celui de Milo.

Et elle a raison, se dit-il. *Après tout, c'est moi qui ai écrit la chanson de Milo !*

Il suivit les autres sur scène en prenant un air misérable. Au moins, Nathan et Otto semblaient de meilleure humeur, maintenant, même si le niveau de confiance de Daniel avait chuté à son plus bas. Alors qu'ils s'installaient, Otto lança même ses baguettes dans les airs.

C'est bon, se dit Daniel sévèrement avant de prendre une grande respiration. *Peu importe comment je me sens en ce moment. Je dois prendre sur moi, pour le groupe.*

Il s'obligea à redresser ses épaules et commença le compte.

— Et un, et deux, et…

Otto frappa les tambours, et le groupe se mit à jouer *Fille du clair de lune*, une chanson qu'ils étaient maintenant habitués de jouer.

Si Daniel n'avait pas vu Riley le matin même, il n'aurait jamais deviné qu'elle avait dormi si peu d'heures. Sa voix s'élevait par-dessus la musique du groupe, forte et confiante, alors qu'elle se déplaçait d'un bord et de l'autre de la scène avec toute l'énergie d'une voiture qui accélère…

Hé, se dit Daniel. *Ces mots pourraient faire de bonnes paroles de chanson.*

Ils décrivaient exactement *ses* sentiments pour Debi.

Je vais devoir écrire ça plus tard.

Mais pour l'instant, il devait se concentrer. Inspiré par Debi et les autres membres du groupe, il réussit enfin à se libérer de la panique et de la détresse des dernières heures.

Qu'est-ce que ça pouvait bien faire s'il avait raté une chanson? Il avait aussi composé *Fille du clair de lune*, et elle *rockait* vraiment, tout comme son groupe! Alors qu'ils entamaient le dernier refrain, un sentiment de pure satisfaction envahit le corps de Daniel et, tout d'un coup, il sentit qu'il aurait pu bondir de l'autre côté de l'auditorium vide d'un simple saut.

Il pencha la tête vers l'arrière et lâcha un hurlement de satisfaction alors que la chanson arrivait à sa fin.

S'il y avait eu de vrais spectateurs, ils auraient tous été en train de nous acclamer!

Malheureusement, il n'y avait qu'une seule spectatrice en ce moment : la directrice Caine, et elle semblait toujours aussi blasée.

— Eh bien, dit-elle. Dieu merci, c'est fini.

Oh, oh.

Daniel baissa sa guitare et échangea un regard inquiet avec Riley.

Dis-moi qu'on n'a pas perdu après tout ça!

Il lança un regard nerveux vers l'endroit où Milo et les membres de son groupe étaient assis.

Il faudrait qu'elle n'ait vraiment pas l'oreille musicale pour les choisir…

Mais, connaissant la directrice Caine, c'était peut-être le cas. En fait, ça aurait expliqué beaucoup de choses.

Il avala avec peine sa salive et se rassembla avec les membres de son groupe sur le bord de la scène. La directrice Caine se leva et ajusta ses vêtements en regardant sa montre avec insistance.

— Allez! s'écria Milo. Qui a gagné? Avons-nous gagné? On a gagné, n'est-ce pas?

La directrice Caine soupira.

— Tout ce que je peux dire, c'est que le deuxième groupe était moins offensant… et un brin plus tranquille.

Un brin plus tranquille?

Daniel cligna des yeux et étouffa un rire avec peine. Ça ne faisait pas partie des compliments qu'il croyait que son groupe pourrait recevoir!

— Et la chanson du deuxième groupe était meilleure, ce qui est encore plus important.

Daniel refoula l'envie de dire à la directrice Caine qu'il avait sûrement eu une mauvaise journée lorsqu'il avait composé

Ah-loup l'amour. Il eut l'impression que s'attribuer l'écriture de la chanson que ses rivaux avaient volée n'aiderait aucunement son propre groupe.

Il entendit à peine la directrice Caine lorsqu'elle continua.

— Alors, je suppose que Dans la bergerie pourra jouer au bal.

— Youpi! cria Riley en sautant dans les airs. Je le savais!

— Génial!

Nathan et Otto se firent un tope là alors que Riley se mit à danser sur la scène en essayant de les rassembler pour faire un câlin de groupe. Elle s'arrêta seulement lorsqu'elle remarqua qu'ils avaient tous l'air d'être aussi enthousiastes que si on leur avait demandé de mettre des sous-vêtements de la boîte d'objets perdus.

Dans l'auditorium, Daniel vit Milo se lever et s'éloigner, prenant avec lui les dernières miettes d'excitation de Daniel, tout comme il avait volé sa chanson.

Alors que Milo et les membres de son groupe sortaient d'un pas lourd de l'auditorium, Daniel dut affronter la réalité : Dans la bergerie avait peut-être gagné, mais son talent de compositeur de chanson d'amour avait perdu cette manche.

Sans l'ombre d'un doute.

CHAPITRE 6

Aussitôt que Justin arriva à la maison après son entraînement de football, il monta les marches comme une flèche.

— Félicitations, frérot !

Il bondit dans la chambre de Daniel, qui était assis à son bureau en train de gribouiller quelque chose.

— J'ai su pour ta grosse victoire !

À sa grande surprise, Daniel grimaça.

— Mmh, ouais.

— Ouais ? C'est tout ?

Justin le fixa.

— Tu as *gagné*, frérot ! Tu as battu le groupe de Milo ! Et c'est tout ce que tu as à dire ?

— Dans la bergerie a très bien joué, dit Daniel.

Son sourire semblait forcé.

— C'était bien pour le groupe. Mais là, je travaille sur une autre chanson pour le *Homecoming*, donc…

Il commença à se retourner vers son bureau.

— Une minute!

Justin prit une grande inspiration.

Bon, son jumeau n'était peut-être pas aussi excité par la nouvelle que ce à quoi Justin s'attendait, mais tout de même… *Quand* aurait-il une meilleure chance de lui demander cette faveur?

— Écoute, dit-il. Tu sais, à propos du rassemblement de la pleine lune de ce soir…

— Oh non! gémit Daniel. Papa n'a pas changé d'idée, j'espère?

— Eh bien…

— Il *doit* te laisser y aller à ma place, cette fois-ci, dit Daniel. J'ai seulement eu quelques jours de congé depuis le dernier rassemblement, et les Bêtes vont passer tout leur temps à parler de football de toute façon, puisqu'ils pensent que je suis toi. Toutes ces affaires de jeux et de tactiques, c'est du chinois pour moi. Et…

Justin rit.

— Calme-toi, frérot.

Il prit une pose de superhéros, les mains sur les hanches et la poitrine gonflée.

— Justin à la rescousse. Le roi du football à votre service! Ou… euh… à votre rassemblement. Papa comprend.

— Parfait.

Daniel poussa un soupir de soulagement et reprit son stylo.

— Dans ce cas…

— Mais j'ai besoin d'aide, dit rapidement Justin. Avant de partir, je dois savoir quoi faire là-bas. Ne vont-ils pas remarquer que je ne suis pas un loup? Quand le gros… rrrrrrrouaaaaaarrrr arrivera, je veux dire?

Il fit des griffes avec ses mains, comme dans les films de loup-garou.

— T'inquiète, dit Daniel en haussant les épaules. T'es pas obligé de te transformer. Il y a des loups qui décident de ne pas le faire.

— Et ils ne se font pas regarder bizarrement par les autres? demanda Justin avec scepticisme.

— Nan, dit Daniel. Tout le monde prend ça pas mal relax.

— OK.

Justin hocha la tête.

— Je n'ai qu'à dire que ça ne me tente pas.

— Ouais.

Daniel semblait distrait, et Justin voyait que son frère s'était déjà remis à penser à sa musique.

— De toute façon, un athlète naturel comme toi ne devrait pas avoir de difficulté à les suivre, même sans te transformer.

Les derniers mots de Daniel ne furent qu'un marmonnement alors qu'il se penchait à nouveau sur son livre de musique.

— Ce n'est pas la partie qui m'inquiète, dit Justin.

Il s'assit sur le coin du bureau de Daniel et tenta de capter son attention.

— Il me semble que t'as parlé de « hurler à la lune » au dernier rassemblement.

Daniel leva brusquement la tête et fit la même expression que Justin faisait lorsqu'il laissait tomber un ballon de football.

— J'ai oublié les hurlements, dit-il en frappant son front de sa main.

— Ne panique pas frérot, dut Justin. J'ai un plan. Tu pourrais enregistrer tes hurlements en boucle, et je pourrais mettre mon téléphone sur haut-parleur… et me joindre aux autres !

Daniel était bouche bée. Il plissa les yeux. Un grognement sourd et menaçant s'éleva dans sa gorge.

— Tu blagues, là ? demanda-t-il.

Oh, oh, se dit Justin.

Il se déplaça du bureau et garda un œil méfiant sur le visage de Daniel. Son frère lui avait déjà lancé des regards mauvais auparavant, mais jamais comme celui-ci.

— Euh… mmh…

Justin balbutiait en essayant de comprendre ce qu'il avait pu dire pour mettre Daniel en rogne de la sorte.

— C'était juste une suggestion.

— Dis-moi, grogna Daniel, que tu blaguais.

— Je, euh…

Daniel se leva, et Justin vit que ses mains étaient maintenant poilues et qu'il avait les poings serrés.

— Es-tu vraiment en train de proposer de faire… du *lip-sync* ?

— Eh bien… dit Justin en haussant les épaules et en enfonçant les mains dans ses poches. J'ai pensé que…

— J'te crois pas !

Daniel s'éloigna de son bureau en grognant.

— As-tu déjà écouté *quoi que ce soit* que je t'ai expliqué à propos de la musique ?

Justin tenta de faire un sourire charmeur.

— Aussi souvent que tu m'as écouté parler de football.

— Justin !

Daniel s'empoigna les cheveux et se mit à les tirer avec un air désespéré.

— Le *lip-sync* va à l'encontre de mon code en tant que musicien ! C'est…

— C'est ma seule option ! dit Justin. Voyons, frérot ! J'peux pas vraiment chanter de vive voix ! Que les autres soient captivés par les hurlements, je m'en balance ! Si Kyle voit que je ne me joins pas à eux, tu *sais* que je vais être fichu. Donc, à moins que tu veuilles aller au rassemblement et travailler sur ta chanson un autre soir…

— OK, d'accord. D'accord !

Daniel se laissa retomber sur sa chaise.

— Je vais le faire… mais tu dois promettre de ne jamais en parler à qui que ce soit !

— Ton secret sera bien gardé, frérot.

Justin sortit son téléphone de sa poche.

— Maintenant, aide-moi à faire semblant d'être toi… qui fais semblant d'être moi!

Daniel secoua la tête et saisit le téléphone des mains de Justin.

— Je ne peux pas m'enregistrer en train de hurler ici. Je dois aller à la salle de bain!

— Euh…

Justin fixa son frère.

— Mais pourquoi? Je suis ton jumeau. Tu n'as pas à te cacher…

— Je ne me cache pas, répondit Daniel en faisant une grimace. L'acoustique y est meilleure… évidemment!

Justin leva les yeux au ciel.

— Évidemment.

Lorsque Daniel ferma la porte de la salle de bain derrière lui, Justin soupira et s'approcha du bureau. La feuille de papier sur laquelle Daniel travaillait ne comportait que quatre mots : « Voiture qui accélère ».

Justin plissa les lèvres en un sifflement silencieux.

— Eeeeeh bien!

Alors que les hurlements de son frère résonnaient dans la salle de bain, Justin secoua la tête. Il aimait son jumeau mais, parfois, il devait admettre que Daniel n'était pas tout à fait «normal».

Trois heures plus tard, Justin marchait à travers les bois avec son père. Il pouvait voir les flammes vacillantes des feux dans la clairière en avant d'eux. Les sons de petits jappements et de grognements résonnaient au loin.

Justin fit un grand sourire en sentant l'adrénaline parcourir son corps.

Je vais enfin voir de quoi il s'agit vraiment!

Juste avant d'entrer dans la clairière, son père arrêta Justin.

— Es-tu sûr de vouloir faire ça, fiston? chuchota-t-il. Je vais comprendre si jamais tu as changé d'avis.

— Ne t'en fais pas, papa.

Justin était si excité qu'il courait sur place. Il ne pouvait s'empêcher de bouger!

— J'ai tout compris : course *et* hurlements. C'est cool!

— Eh bien, si tu en es sûr…

Cependant, son père avait l'air nerveux en lâchant le bras de Justin.

— Je ne me transformerai pas non plus ce soir; comme ça, on pourra dire aux autres que c'était une décision de «famille».

— Merci, papa, dit Justin.

Il était vraiment reconnaissant, mais il ne pouvait plus attendre. Il décolla comme une fusée pour arriver dans la clairière illuminée par les feux et débordante d'action, d'excitation et de Bêtes qui s'étaient rassemblées en groupe pour hurler et se chamailler de l'autre côté des feux.

— Packer!

Les Bêtes rugirent toutes son nom en même temps alors que Justin courait lentement vers elles.

— Enfin! dit Kyle.

Il leva une main pour faire un tope là à Justin, et de longs ongles qui ressemblaient à des griffes brillèrent à la lumière du feu.

— On t'attendait!

— Eh bien, je suis ici, maintenant, dit Justin, et il sentit son sourire s'élargir. Il ne démontrait aucun signe de douleur après le tope là parce qu'il l'avait à peine senti. Il avait attendu ça toute sa vie, depuis la première fois que son père lui avait parlé, plusieurs années auparavant, de comment ce serait d'être un loup-garou.

Enfin, se dit-il, *je suis à ma place.*

— Courons! éclata Kyle.

Les Bêtes répétèrent son cri.

Justin se lança vers l'avant, l'excitation coulant dans ses veines.

Il n'avait jamais vu les autres courir aussi vite. Les Bêtes étaient peut-être rapides et fortes sur le terrain de football, mais il était évident qu'elles s'étaient retenues jusque-là. Les muscles des jambes de Justin semblaient crier d'effort alors qu'il se poussait pour aller aussi vite que les autres. Sa respiration était haletante, et son cœur battait follement dans sa poitrine.

— Tu fais bien de rester relax cette fois-ci, Packer, dit Kyle en lui donnant une bonne tape sur l'épaule. Je sais que t'es un fou, mais tu ferais mieux de ne pas encore sauter par-dessus le bord d'une falaise !

Les Bêtes se mirent à hurler de rire, et Justin se força à émettre un petit rire à travers sa poitrine irritée.

— C'est bien moi, ça ! dit-il faiblement.

Il manquait tellement d'air qu'il en était étourdi. C'était peut-être pour ça qu'il n'avait aucune idée de ce dont ils parlaient.

Ou peut-être que « sauter par-dessus une falaise » est un jeu de mots entre loups-garous…

Alors que les Bêtes ralentissaient pour enfin s'arrêter sur la berge d'une rivière,

Justin dut s'empêcher de lever le poing en l'air devant eux.

J'ai réussi! J'ai gardé le rythme. Et maintenant, on se repose… c'est ça?

— Allez. Maintenant, on va pratiquer un jeu pour le match du *Homecoming*! annonça Kyle.

Il fit un grand sourire, ses dents paraissant particulièrement longues et féroces à la noirceur.

— Mais cette fois-ci, on ne se retient pas. Nous ne sommes plus à l'école, là!

Oh, oh, se dit Justin.

Mais lorsque les Bêtes rugirent et se mirent en position, il sentit l'excitation revenir dans ses muscles endoloris.

Il était là, n'est-ce pas? Et il avait tenu le rythme jusque-là. Et à vrai dire… combien de garçons de secondaire 3 à travers le monde avaient la chance de jouer une partie de football aussi intense? S'il n'était pas né dans une famille de loups-garous, il n'aurait jamais même su que le football pouvait être si intense.

Lorsqu'ils revinrent une heure plus tard en courant jusqu'à la clairière illuminée par les feux, Justin dégoulinait de sueur, ses muscles étaient aussi mous que des spaghettis cuits… et il était plus heureux qu'il ne l'avait jamais été.

J'ai réussi ! se dit-il. *J'ai survécu à un entraînement totalement loup-garou !*

Et maintenant…

On dirait que c'est l'heure du…

— Le hurlement ! dit Kyle.

Justin se retourna et vit que pendant le temps qu'il avait passé à penser à quel point il était soulagé d'avoir survécu à l'entraînement, son quart-arrière s'était transformé. Des dents tranchantes dépassaient de ses lèvres, et il penchait la tête vers l'arrière pour être face aux nuages qui recouvraient le ciel nocturne. Les autres Bêtes se regroupèrent en un cercle serré autour de Kyle et Justin, faisant partie de l'énorme masse poilue qui se rassemblait partout dans la clairière.

C'est l'heure de mettre le plan en marche, se dit Justin en humectant ses lèvres nerveusement et en lançant un regard rapide aux Bêtes autour de lui.

Espérons que ça va fonctionner !

Les nuages se dispersèrent comme de la barbe à papa qui se sépare pour révéler la lune au-dessus d'eux. Avant même que Justin puisse absorber la vue, son corps se mit à résonner avec le son mélancolique des hurlements aigus qui s'élevaient tout autour de lui. Chaque centimètre de la peau de Justin picotait en réaction primale au son. Lorsqu'il baissa le regard sur ses bras, il vit que tous ses poils étaient hérissés.

C'est l'heure du spectacle !

Justin mit sa main dans la poche de sa chemise aussi furtivement que possible et appuya sur le bouton qu'il avait programmé sur son téléphone.

— *Ah-ouuuuuuuuuuuu !*

Les hurlements de Daniel se projetèrent de sa poitrine, aigus, forts et d'une tonalité parfaite.

Je dois l'avouer, frérot, se dit-il en souriant, *tu connais vraiment l'acoustique.*

Justin inclina sa tête et ouvrit sa bouche. Alors que « ses » hurlements se joignaient à ceux des autres, il s'efforça de ne pas penser à son jumeau tremblant d'indignation en sentant que le *lip-sync* se déroulait.

Mais après un instant, même cette pensée s'envola alors que Justin était obnubilé par la beauté mélancolique de cet instant. Alors que les loups tout autour de lui hurlaient à l'unisson, son euphorie s'estompa pour laisser place à une pensée douce-amère.

J'aurais souhaité ne pas avoir à faire semblant.

Il se sentait *bien*, ici. Il avait gardé le rythme des Bêtes pour la course et le football. Il *adorait* le rassemblement d'une manière que Daniel ne pourrait jamais le faire.

Mais Justin ne serait jamais un loup-garou, peu importe à quel point il voulait en être un.

Oublie ça, se commanda-t-il en inclinant sa tête encore plus vers l'arrière. *Tu n'as pas besoin de te transformer en loup pour être génial. Profite du moment présent !*

Puis, Kyle se retourna et donna une tape amicale sur la poitrine de Justin.

Le son des hurlements de Daniel s'arrêta brusquement… et fut remplacé par la musique de Dans la bergerie !

Kyle avait frappé le bouton « prochain » du téléphone de Justin !

« Un sourire aussi brillant que les étoiles… »

Et toute la chanson se mit à résonner dans l'air tranquille de la nuit…

«Des cheveux qui brillent comme le feu…»

Tous les loups-garous dans la clairière étaient silencieux. Ils se retournèrent en groupe pour le fixer. Alors que la musique jouait et jouait encore, Justin tâtonnait sa poche pour en ressortir le téléphone. Ses doigts, glissants de sueur, humides et cafouillaient.

Oh non, oh non, oh non!

Il était pris de panique. Le poids des regards était écrasant alors que la musique jouait encore et encore.

Maintenant, ils vont savoir que j'ai fait semblant!

— Hé!

Un large sourire illumina le visage d'Ed Yancey. Ses dents longues brillaient à la lumière des feux.

— J'aime ça! Monte le son, mon gars.

Justin sortit son téléphone et son petit haut-parleur, et il augmenta le volume.

— Une chanson à propos de la lune, mon gars!

Chris se déhanchait au rythme de la musique, les poils de son visage ondulant tandis qu'il dansait.

— Trop cool!

Justin vit alors des sourires aux dents pointues se répandre d'un bout à l'autre de la clairière, des enfants aux adultes. Les loups-garous aimaient vraiment cette musique !

Daniel ne croira jamais ça, se dit-il.

Il rit en regardant son père mener les autres loups-garous dans une danse démodée incroyablement gênante.

Est-ce que je viens de lancer une nouvelle tradition loup-garou ?

Il laissa la musique jouer, et tous les loups dansèrent autour de lui. Ce n'est que lorsque la chanson arriva à sa fin qu'il poussa enfin le bouton pour tout arrêter… et sourit en envoyant la main.

Les autres loups jappaient et criaient leur approbation, et Justin vit son père sourire de l'autre côté de la clairière. Il avait l'air aussi soulagé que Justin.

Les loups riaient encore lorsqu'ils regagnèrent leurs places originales. Lorsque les hurlements s'élevèrent à nouveau pour remplir la clairière, Justin glissa le téléphone dans sa poche à nouveau. Il avait attendu que tout le monde ait incliné la tête vers l'arrière avant de remettre le téléphone dans sa poche et d'appuyer sur le bouton qui referait jouer l'enregistrement des hurlements de Daniel.

Puis, il sentit que quelqu'un le regardait.

Il leva rapidement le regard. Kyle avait détourné le regard de la lune et le fixait, les yeux plissés.

Justin inclina rapidement la tête vers l'arrière et enleva brusquement sa main de sa poche comme s'il s'était brûlé.

Désolé, frérot, se dit-il lorsqu'il sentit le regard soupçonneux de Kyle se déposer sur lui.

Il ferma les yeux et se mit à hurler à l'unisson avec les hurlements enregistrés de son frère.

C'est l'heure de faire la meilleure performance de lip-sync *de toutes…*

CHAPITRE 7

Lorsque la cloche sonna pour annoncer l'heure du dîner le lendemain, Daniel avait peine à avancer tellement il était épuisé. À l'extérieur du local de son dernier cours, il s'arrêta en trébuchant juste à côté d'une des affiches de campagne de Riley. Il se mit à fixer l'affiche comme s'il était dans un brouillard, incapable d'enlever son regard de la photo de Debi au beau milieu d'un saut. Ses boucles rousses cascadaient le long de son dos, et elle levait ses pompons en riant de joie. De grosses lettres rouges au-dessus de la photo disaient : « Votez pour Debi ! Votez pour Debi ! VOTEZ POUR DEBI ! »

Les mots semblaient se mêler sous les yeux fatigués de Daniel.

Debi Debi Debi Debi… Wô !

Il cligna des yeux très fort pour essayer de se réveiller.

Comment Riley réussit-elle à faire ça ?

Il savait que Riley avait sûrement dormi encore moins que lui au cours des dernières nuits, mais elle avait tout de même réussi à coller des affiches colorées partout dans l'école, à faire tous ses devoirs et à organiser chaque détail du match et du bal du *Homecoming*.

Daniel, au contraire, pouvait à peine marcher !

Il soupira, secoua la tête et commença à avancer, mais le sourire ravi de Debi sur l'affiche le fit reculer.

Il y avait une raison pour laquelle il n'avait pas dormi la nuit passée, et c'était en lien avec elle. Maintenant que Milo avait perdu la *Guerre des groupes*, qu'allait-il faire avec les paroles volées ? C'était déjà moche de voir un autre groupe se servir de la chanson de Daniel, mais si jamais Milo allait voir Debi et lui disait que la chanson était à propos d'elle…

Daniel frissonna.

Peut-être qu'il ne le sait même pas. Comment pourrait-il en être certain ?

Puis, il regarda l'affiche à nouveau et soupira.

Voyons. C'est juste trop évident. Quelle autre fille dans cette école mérite qu'on écrive une chanson à propos d'elle ?

Même un crétin comme Milo était assez intelligent pour le comprendre.

J'aurais tout aussi bien pu prendre une feuille de papier et y écrire le nom de Debi à l'intérieur d'un gros cœur rouge transpercé par une flèche !

Il ferma les yeux, chanta les paroles dans sa tête… et grimaça. Combien de fois avait-il utilisé le mot «roux» ?

Au moins trois fois avant la fin du deuxième refrain, se répondit-il silencieusement.

Il ouvrit les yeux à nouveau et contempla l'affiche, plus particulièrement les cheveux roux distinctifs de Debi sur la photographie. Il avala sa salive avec peine.

Je dois faire quelque chose !

Il se retourna au moment où Milo passait à côté de lui, fixant intensément un téléphone intelligent qui avait dû coûter cher. Daniel prit son courage à deux mains et se mit à le suivre.

Il rattrapa Milo devant son casier.

— Hé.

Milo cligna des yeux et baissa son téléphone.

— Packer ?

Puis, il fit un sourire méprisant. Il lança le téléphone dans son casier ouvert, lequel était recouvert d'autocollants promotionnels de son nouveau groupe, ainsi que de plusieurs dessins de Milo posant comme une *rock star*, entouré de foules d'admirateurs tenant des pancartes sur lesquelles était écrit « Orage de venjeance ». Daniel espérait que l'erreur d'orthographe était voulue.

— Qu'est-ce que tu veux ? demanda Milo.

Daniel serra les dents et s'approcha. Le corridor était trop bondé pour prendre des risques, et il ne voulait pas que qui que ce soit d'autre entende ce qu'il était sur le point de dire.

— Je veux savoir, dit-il doucement, ce que tu envisages de faire avec ce que tu as.

— Pardon ?

Milo écarquilla les yeux.

— Je n'ai aucune idée de ce dont tu parles… à moins que tu parles de mon nouveau groupe de rockeurs ? Désolé. On n'a pas besoin d'autres membres.

Il secoua la tête en geste de pitié.

— Désolé, Packer. Tu ne conviens pas au groupe.

C'était presque exactement ce que Daniel avait dit lorsqu'il avait annoncé à Milo qu'il ne pouvait pas faire partie de Dans la bergerie.

— C'est pas… commença Daniel.

Mais là, il vit les lèvres de Milo commencer à bouger.

Oh, ouais. Il sait exactement de quoi je parle. Il pense qu'il est drôle, là.

La colère monta dans la poitrine de Daniel, et il sentit une vague de picotements sur ses bras.

Il ne faut pas que je me transforme maintenant!

Il prit une grande inspiration et essaya de refouler ses émotions.

— Milo, je *sais* que tu as pris mes paroles. Je veux les ravoir!

— Oh, ça?

Milo sourit d'un air suffisant.

— Es-tu certain de vouloir t'afficher comme l'auteur de *ces* paroles, Packer?

Le picotement sur les bras de Daniel se transformait en brûlement. Il ignora la douleur, mais il ne pouvait rien faire contre la sensation de picotement alors qu'elle s'étendait sur toute sa tête. Il pouvait même sentir les cheveux de sa tête pousser. Est-ce que *Milo* pouvait voir ce qui se passait?

Éloigne-toi, fiston.

C'est ce que le père de Daniel lui aurait dit… et il savait que ça aurait été la bonne chose à faire. Mais il ne le pouvait pas, surtout pas pendant que Milo restait là à le regarder avec son sourire bête. Tant que Milo gardait ses paroles, il pouvait les montrer à Debi à n'importe quel moment.

— Redonne-les-moi, grogna Daniel.

Ses gencives commençaient à élancer, maintenant.

— Tout de suite!

Milo pouffa de rire.

— Qu'est-ce que ça peut bien te faire? On sait tous deux qu'elles sont nulles.

Ah oui? Alors pourquoi les as-tu utilisées pour ta grosse audition? pensa Daniel, mais il n'osa pas le dire.

La transformation avait commencé. S'il ouvrait la bouche maintenant, Milo verrait de longues dents de loups complètement exposées.

— Ha!

Milo sourit triomphalement. Il se retourna pour faire signe aux passants et éleva la voix.

— Regardez ça ! Le grand Daniel Packer n'a *enfin* rien à dire… parce qu'il sait que j'ai raison. Il est nul pour composer des chansons !

— *Grrrrrrrr !*

Le grognement qui s'échappa des lèvres fermées de Daniel fut si profond et féroce que Milo eut un mouvement de recul. Une onde de choc traversa la foule d'observateurs qui ne cessait de grossir.

Excellent. Je n'ai toujours pas les paroles… et si je ne pars pas d'ici rapidement, tout le monde va me voir devenir poilu !

Daniel se retourna, tremblant de frustration. Il s'éloigna d'un pas lourd dans le corridor sans regarder en arrière. Il pouvait tout de même entendre les chuchotements excités qui jaillissaient derrière lui.

Il ne pouvait se retourner pour essayer de le convaincre, car sa bouche pouvait à peine contenir ses dents. Il ne pouvait même pas faire un geste de dédain pour lui faire comprendre qu'il disait n'importe quoi, parce que ses mains étaient recouvertes d'une épaisse couche de poils.

Il vit une salle de classe vide et sombre à sa gauche, et il y plongea en refermant rapidement la porte derrière lui. Puis, il fit rapidement le tour de la salle en baissant tous les stores pour recouvrir les fenêtres. Ce n'est que lorsqu'il fit totalement noir dans la salle qu'il se laissa enfin tomber au sol dans le coin le plus éloigné en enveloppant ses bras autour de ses jambes et en ouvrant la bouche avant que ses dents passent à travers son visage. Il ferma les yeux et commença à respirer lentement, comme son père le lui avait montré.

Calme-toi, et les changements repartiront. Il faut juste te calmer…

La porte s'ouvrit. Un rayon de lumière illumina le plancher, s'arrêtant juste avant ses chaussures. Si la porte s'ouvrait de juste quelques centimètres de plus, cette lumière révélerait un monstrueux garçon poilu assis dans le coin en train de s'apitoyer sur son sort. Daniel commença à se déplacer vers la gauche en se disant qu'il pourrait se cacher dans un placard lorsque…

— Daniel?

C'était Debi. Daniel pouvait la voir, mais elle ne pouvait pas le voir. Elle resta dans le cadre de porte et regarda dans la noirceur.

— Es-tu là ?

Elle leva une main pour allumer les lumières.

— Non ! s'exclama Daniel d'une voix éraillée.

Ses mots étaient étouffés par ses longues dents pointues. Les poils picotaient ses bras. Ses cheveux effleuraient ses épaules ; ils avaient poussé d'au moins dix centimètres au cours des dix dernières minutes. Il resta complètement immobile.

Debi baissa la main et ferma la porte derrière elle, les plongeant dans l'obscurité la plus totale.

— C'est pas grave, dit-elle d'une voix basse et chaleureuse. Tout le monde pleure de temps en temps.

— Quoi ?!

Daniel était bouche bée d'indignation. Il se redressa brusquement.

— Je ne pleurais *PAS* ! Je…

Il referma rapidement sa bouche quand son cerveau se mit à fonctionner normalement à nouveau.

Mais qu'est-elle censée penser ? Je ne peux pas vraiment lui dire que je vais bien et que je suis juste en train de me transformer en loup-garou !

— Ouais, marmonna-t-il enfin.

Ses doigts se recourbèrent en poings douloureux, car ses griffes blessaient ses paumes, et il marmonna encore.

— Merci… de ta compréhension.

— Ce n'est pas de la compréhension. Je suis *impressionnée*.

Debi s'approcha d'un pas gracieux à travers l'obscurité, mais elle s'arrêta à quelques mètres de lui, formant une ombre dans la noirceur. Sa voix était douce.

— Tu as fait la bonne chose en t'éloignant de ce conflit. La plupart des gars que je connais auraient continué la dispute et causé encore plus de problèmes.

Elle soupira, et l'air autour d'eux tourbillonna doucement.

— Je crois qu'il est plus brave de s'éloigner. Ça veut dire que tu es une personne vraiment forte.

— Euh…

Daniel toussa, un peu mal à l'aise.

— Je n'en suis pas si sûr.

En fait, s'il n'avait pas eu à se sauver avant que la transformation ne soit complète, il aurait sans aucun doute eu une dispute intense avec Milo. Debi n'aurait sûrement pas été aussi impressionnée par lui.

Je n'aurais jamais cru qu'il y aurait un côté positif à ce que mon côté loup-garou soit difficile à maîtriser !

— Tout le monde pouvait voir que Milo agissait comme un vrai crétin, dit Debi. Le fait que tu sois parti au lieu de rester là et de crier... ça veut dire que tu voulais bien faire les premiers pas.

Sa voix se baissa à un chuchotement.

— Je... J'aime vraiment ça de toi.

Daniel fut soulagé que l'obscurité cache le sourire stupide qu'il affichait... parce que si Debi l'avait vu, elle aurait su *exactement* quels étaient ses sentiments.

Mais, en même temps, il détestait le fait que l'obscurité cache son sourire stupide parce que si Debi le voyait, elle *saurait* exactement quels étaient ses sentiments, et là, peut-être qu'il pourrait aussi découvrir les *siens*.

Mais alors, s'ils n'étaient pas ce qu'il espérait...

Ahhhh !

Il faillit gémir. Comment pouvait-il ressentir à la fois tant de soulagement et tant de peine ? Est-ce que c'était normal ? Et pourquoi semblait-il toujours être si… *important* que la fille qu'il aimait ne découvre jamais qu'il l'aimait ?

— Daniel ? dit Debi. T'es vraiment silencieux. Es-tu sûr que ça va bien ?

S'il parlait maintenant, avec ses émotions si tourmentées, sa voix sortirait comme un grognement.

Daniel ferma la bouche, mais le son qui en sortit ressemblait au gémissement aigu d'un chiot, ce qui le fit grimacer de gêne.

C'était encore pire qu'un grognement.

— Oh, Daniel !

Debi poussa un petit cri de sympathie.

— Tu pleures encore ! Pauvre toi !

Quoi ? Non !

Daniel se racla la gorge, tentant désespérément de trouver une façon de parler.

Elle se précipita dans la salle assombrie et le prit dans ses bras avant qu'il puisse dire un seul mot.

Oh, non ! Elle va tout comprendre !

Même en se perdant dans la sensation de ses bras autour de lui, Daniel se raidit.

Elle va percevoir mes cheveux longs et sentir ma puanteur de loup, et là, elle va partir en courant, parce qu'elle va savoir que je ne suis qu'un gros monstre !

Mais attends. Elle ne court pas.

En fait, elle s'était collée contre lui pour lui faire le câlin le plus merveilleux de toute sa vie.

Je ne le crois pas !

Daniel leva ses bras lentement et avec précaution… et lui fit un câlin à son tour.

Les cheveux de Debi effleuraient sa joue, et ils sentaient l'été. Ses bras étaient chauds autour de son dos. Il baissa la tête pour la reposer contre ses cheveux. Il ferma les yeux et prit une grande inspiration lente. Ses sens de loup rendaient la sensation impossiblement parfaite, mais il avait le sentiment que ça aurait été aussi le cas s'il avait été juste un garçon normal.

Tout d'un coup, il ne comprenait pas pourquoi il avait toujours tant de difficulté à lui parler dans le corridor, ou alors dans la cour de leur maison. Parler à Debi était…

Absolument parfait, se dit-il.

— Alors…

Debi recula enfin une minute plus tard. Elle émit un petit rire voilé et sembla soudainement gênée.

— Je, euh… On se voit dans le cours d'espagnol, alors?

— Ouais.

Daniel mit ses mains dans les poches de ses jeans et hocha la tête même s'il savait qu'elle ne pouvait le voir. Il se balançait sur ses talons; il se sentait déséquilibré.

— On se voit là-bas. J'ai juste besoin d'une minute pour… euh…

— Ne t'en fais pas, dit Debi en touchant son bras d'un geste rassurant. Je comprends. Et je te promets que tu n'as *aucune* raison d'être gêné.

Elle partit rapidement d'un pas léger. La porte s'ouvrit et se referma derrière elle.

Daniel prit une grande inspiration et fit rejouer le câlin dans sa tête, même s'il n'avait rien vu pendant tout ce temps. Il passa sa langue sur ses dents et s'aperçut qu'elles étaient revenues à la normale; elles n'étaient pas pointues et ne ressemblaient pas à des crocs non plus.

Est-ce que Debi m'a « dé-loup-garou-isé »?

Il alluma la lumière un instant plus tard et poussa un soupir de soulagement. Ses bras et ses mains étaient complètement exempts de poils. Le fait d'être avec Debi était si agréable et relaxant qu'il avait été ramené à son état humain. Il n'avait qu'à s'occuper de ses cheveux et de ses ongles, et il serait officiellement de retour à la normale.

Enfin…

Il leva les yeux au ciel alors qu'il s'agenouillait pour fouiller dans son sac à dos à la recherche des ciseaux qu'il transportait toujours avec lui maintenant pour couper ses cheveux et ses ongles allongés par sa transformation.

Enfin, je serai de retour à ma version de ce qui est normal.

CHAPITRE 8

Lorsque la journée d'école arriva à sa fin, Justin fut impatient de retrouver Riley. Elle était difficile à rejoindre, ces jours-ci, alors que le compte à rebours vers le *Homecoming* avançait. Elle pouvait être n'importe où dans l'école — ou même dans le monde. Heureusement, il avait élaboré une stratégie parfaite pour la pister.

Il arpenta les corridors avec une seule mission : voir cette école de la manière dont Riley la voyait. Dans quels coins manquait-il des affiches pour la campagne de Debi ? Quels corridors ne comportaient pas encore assez de banderoles pour le match du *Homecoming* ? Il plissa les yeux en tournant un coin. Si seulement il pouvait deviner le prochain endroit où elle irait…

— Aaaah!

Il entra en collision avec quelqu'un.

— Désolé!

Il tendit les mains pour attraper sa victime et grimaça lorsqu'il comprit de qui il s'agissait.

Rayonnante, Mackenzie Barton saisit sa main et fit une pirouette gracieuse pour atterrir directement dans les bras de Justin.

— Vous voyez?

Elle fit un grand geste vers les autres étudiants qui flânaient dans le corridor pour attirer leur attention.

— Vous voyez comment je danse bien? Et même Justin… dit-elle en haussant un sourcil et en le désignant d'un geste. Eh bien, il n'est presque pas malhabile, pour un garçon.

Il y eut quelques sifflements, et Justin sentit ses joues rougir.

— Pas sûr de ça, marmonna-t-il en baissant la tête. Mackenzie, je suis juste…

Elle parla plus fort que lui, projetant ses mots vers les autres.

— Mais voyons, nous formons une bonne équipe, n'est-ce pas, Justin?

Oh non!

Justin se rendit enfin compte avec horreur que Mackenzie était en train de mener sa campagne pour être élue reine du *Homecoming* !

Et je suis tombé dans son jeu.

Malheureusement, elle attendait sa réponse, tout comme les autres élèves qui formaient la foule. Justin ouvrit la bouche pour parler, mais il abandonna. Il ne pouvait rien dire sans se mettre en danger dans cette situation.

— Mmmh, marmonna-t-il en souriant vaguement alors qu'il s'esquivait afin de s'échapper.

Mackenzie attrapa sa main au moment où il passa à côté d'elle.

— Regardez ça !

Elle avança les jambes, faisant tournoyer sa jupe, et elle fit un mouvement de danse fabuleusement tourbillonnant qui la fit pirouetter jusque dans les bras de Justin comme s'ils l'avaient pratiqué… *ensemble !*

— Vous voyez ? annonça-t-elle à la foule en inclinant sa tête et en faisant un large sourire. Quel partenariat !

Cette fois-ci, les applaudissements étaient enthousiastes.

— Youhou !

— Vas-y, Mackenzie!

— Beau petit couple, cria quelqu'un de l'arrière.

Justin serra les dents et grimaça tandis qu'un groupe de filles s'approchait de Mackenzie en admiration et que le reste se contentait de demeurer à l'arrière en lui lançant des regards spéculatifs.

— Justin!

Mackenzie s'éloigna de ses admiratrices et courut après lui dans le corridor, sa voix dure et autoritaire.

— Ne te sauve pas! Tu dois me soutenir, maintenant.

Lorsqu'elle le rattrapa, elle saisit la manche de sa chemise pour l'obliger à s'arrêter.

— L'Express Mackenzie est en ligne directe pour devenir reine. Ça ne te tenterait pas de faire partie d'une équipe gagnante?

— Oh, pour l'amour de...!

Justin gémit et se retourna pour lui faire face.

— Mackenzie, qu'est-ce que ça peut bien faire, ce que je pense? Qu'est-ce qui te fait penser que je vais être roi du *Homecoming*?

Mackenzie lui sourit de toutes ses dents.

— C'est le bruit qui court, Justin. Et fais-moi confiance, je suis très bonne pour saisir ce que les petites gens aiment.

— Les *petites gens*?

Justin secoua la tête, dégoûté.

— Eh bien, on ne court pas. On est dans un corridor d'école, et je…

— Peu importe.

Mackenzie ignora ses protestations.

— Les potins disent tous la même chose : tu vas gagner !

Son sourire se durcit.

— Et tu vas m'emmener vers la victoire.

Justin serra les dents.

— Même si tu as raison à propos de moi…

— Oh, j'ai raison.

Mackenzie arrêta enfin de sourire et croisa les bras pour l'étudier comme elle l'aurait fait pendant une expérience scientifique.

— Fais-moi confiance. Je ne comprends pas non plus, mais…

Elle haussa les épaules.

— J'imagine que c'est ton petit air de chien battu.

Tu ne crois pas si bien dire, se dit Justin d'un air abattu.

— Alors… dit Mackenzie avec un sourire victorieux. Quand allons-nous pratiquer notre danse pour demain soir ?

— Quoi ? !

Justin retint à peine un gémissement.

Où est Riley lorsque j'ai besoin d'elle ?

Il se retourna pour jeter un regard par-dessus son épaule en espérant désespérément voir des cheveux blonds, des affiches et des planchettes à pince. Malheureusement, Riley n'était nulle part… Mais Kyle l'était.

Fiou.

— Désolé.

Justin fit un faux sourire et s'éloigna de Mackenzie en faisant un geste de la tête vers le groupe de Bêtes qui se déplaçait tumultueusement à l'autre bout du corridor.

— Je suis pas mal occupé avec les entraînements de football, ces temps-ci, donc…

Il haussa les épaules et leva les mains.

— Je n'aurai pas de temps libre pour des pratiques de danse.

— Espèce de… !

Les yeux de Mackenzie lançaient des éclairs. Elle s'arrêta juste à temps, s'empêchant de dire les méchancetés qui étaient sur le point de jaillir de sa bouche. Au lieu de cela, elle fit un faux sourire, et sa voix devint sirupeuse.

— C'est pas grave.

Elle étira la main et saisit son bras avant qu'il puisse s'échapper, se pencha pour s'approcher de lui et adopta une voix voilée.

— Je t'ai vu dans ta position de porteur de ballon, as-tu oublié ? Je sais que tu as un bon jeu de jambes. Je suis certaine que tu pourras improviser au bal de demain soir.

— Euh.

Justin tentait de dégager son bras aussi subtilement que possible.

Mackenzie fronça les sourcils.

— Honnêtement, ça ne serait pas si pire si cette idiote de Riley n'était pas si secrète en ce qui concerne la musique qui sera jouée au bal. Comment suis-je censée me préparer quand elle insiste pour être si énervante ?

— Qu'est-ce que tu viens de dire ?

Pour la première fois depuis le début de leur conversation, Justin arrêta de reculer et se mit à avancer.

— Ne parle *pas* de Riley comme ça !

— D'accord, d'accord.

Mackenzie fit un geste nonchalant pour indiquer qu'il pouvait partir.

— À plus tard, partenaire. Il faut que j'aille essayer une robe !

— Grrrrr…

La colère brûlait comme un feu dans la poitrine de Justin alors qu'il regardait Mackenzie s'éloigner à grands pas. Le grognement dans sa poitrine était aussi féroce que ceux de Daniel. Il se força pour ne pas se mettre à courir après elle et lui expliquer à quel point elle avait tort à propos de *tout*.

Oublie là, se commanda-t-il. *Riley va s'assurer que Debi gagne. Ça montrera à Mackenzie exactement ce que les « petites gens » pensent d'elle.*

Il se retourna brusquement et trouva Kyle juste là, à quelques centimètres de lui ! Il détestait vraiment la super vitesse des loups-garous, parfois.

Il soupira et leva une main pour le tope là douloureux.

— Quoi de neuf, mon gars ?

— Rien de neuf, dit Kyle en haussant les sourcils.

Pour une fois, il ne souriait pas.

— La vraie question, Packer, c'est…
quoi de neuf avec *toi*?

Justin dut se forcer pour ne pas gigoter
pendant que le chef des Bêtes l'étudiait à
travers des yeux plissés. Il se sentait observé
comme sous un microscope. Il se blâma
encore une fois pour son erreur au rassemblement de la veille. Pourquoi n'avait-il pas
fait plus attention à son téléphone? Si Kyle
découvrait que Justin avait menti pendant
tout ce temps sur le fait d'être loup-garou…

— Je vais bien, dit-il avec enthousiasme.
Très bien! En fait, je vais *lu*-bien…

Il tenta de ne pas grimacer en pensant
à quel point le mot « lu-bien » était stupide.

— Ah oui?

Un coin de la bouche de Kyle se releva
légèrement.

— Et t'es vraiment prêt pour le match
de demain?

— Mon gars, je suis prêt depuis ma
naissance, dit Justin en se demandant à
quel moment il pourrait arrêter de parler
en clichés et en mots inventés.

Mais ça semblait avoir fonctionné. Kyle
sourit de toutes ses dents.

— Eh bien, si Mackenzie est là comme
meneuse de claque et qu'elle te fait grogner

comme tu viens de le faire... l'autre équipe n'aura aucune chance ! dit-il en lui donnant une tape dans le dos.

Le reste des Bêtes s'attroupa autour d'eux en hurlant de rire ; Justin n'en croyait pas ses yeux.

— Attendez, dit-il. Je ne suis pas... Mackenzie n'est pas...

Chris Jackson secoua la tête en le regardant.

— N'essaie pas, Packer ! On a tous vu combien de temps tu as passé avec elle dernièrement.

— C'est juste... C'est... Oh, laissez tomber !

Justin s'interrompit et poussa un gémissement silencieux.

S'il leur disait qu'il ne ressentait rien pour Mackenzie, ils recommenceraient à le taquiner à propos de Riley. Ça serait encore pire.

Pourquoi leur donner plus de munitions ?

De toute façon, ce qu'il voulait vraiment, c'était rejoindre Riley aussitôt que possible.

— Écoutez, je suis bien content de vous voir, mais...

— Packer a raison, dit Kyle. On a assez parlé de sa vie amoureuse ! Le gymnase est vide, donc on devrait faire quelques exercices pour être certains d'être prêts pour le match de demain. Venez !

Les Bêtes rugirent pour montrer à quel point elles étaient prêtes et partirent en groupe, leurs pas lourds résonnant dans les corridors. Justin abandonna et laissa le groupe le traîner jusqu'au gymnase. Il allait devoir trouver Riley plus tard et espérer qu'il n'était pas trop tard.

Ce n'est qu'une heure plus tard que les Bêtes furent prêtes à s'arrêter. Justin dut utiliser toute l'énergie qu'il lui restait juste pour se tenir debout dans les marches de l'école et subir une vague de tope là d'au revoir qui menaçait d'envoyer au sol son corps endolori et épuisé.

Dès qu'il vit la dernière Bête disparaître, Justin s'affaissa et expira longuement. Il se retourna pour entrer dans l'école en gémissant quasiment de soulagement. Il pouvait enfin — enfin ! — aller trouver Riley et passer du temps avec elle pour l'aider.

Du moins, c'était le plan. Malheureusement, ses jambes refusaient d'obéir aux ordres. Lorsqu'il tenta de tourner, elles restèrent bien enracinées au sol. Le haut de son corps se tourna… mais pas ses jambes. Complètement déséquilibré, il commença à tomber.

Il saisit le mur juste à temps pour s'empêcher de s'étendre de tout son long sur les marches en ciment.

Au moins, les Bêtes n'ont pas vu ça !

Il avait réussi à les suivre pendant tous les exercices, peu importe ce que ça lui avait coûté en frais de douleur. Mais maintenant que les exercices étaient terminés, son corps refusait de continuer ce faux-semblant.

Il ignora le ricanement de Milo et de ses amis lorsqu'ils passèrent à côté de lui en sortant, et il entra dans l'école. Il devait s'appuyer sur le mur à chaque pas qu'il faisait.

Dommage que Mackenzie Barton ne soit pas là pour me voir maintenant, se dit-il en secouant la tête tristement. *Si elle me voyait bouger comme ça, c'est sûr qu'elle n'insisterait pas pour que je l'accompagne à ce stupide de bal nul !*

Il se traîna les pieds dans le corridor pendant ce qui lui sembla une éternité, mais il retrouva enfin Riley dans une salle de classe vide, la tête appuyée sur une main et ses longs cheveux blonds déployés en une vague lisse sur son visage et sur la pile de feuilles de papier sur son bureau. Elle ne leva pas le regard lorsqu'il entra en boitant dans la salle.

Parfait.

Justin s'arrêta un instant pour redresser ses épaules, se forçant à abandonner sa posture à demi accroupie.

Allez, les muscles. Donnez-moi juste deux minutes de dignité pour que je n'aie pas l'air d'un idiot devant elle!

Il commença à avancer en essayant de marcher normalement. Ses jambes et son dos hurlaient en protestation, mais il apposa un sourire sur son visage.

— Hé, Riley, on dirait que…

— Aaah!

Riley sursauta, ses bras s'agitant dans tous les sens. Des feuilles de papier s'envolèrent dans les airs et s'éparpillèrent au sol.

— Je ne dors pas. Je ne dormais pas! Je faisais juste… Oh noooooon!

Elle poussa un gémissement de frustration en regardant l'horloge au mur.

— Je me suis *totalement* endormie! Je ne peux pas croire que je me suis endormie quand il reste encore tant de *travail* à faire.

— Voyons, Riley.

Justin leva les yeux au ciel alors qu'il s'approchait d'elle.

— Tu travailles trop; tu as à peine dormi depuis une semaine. Je ne crois pas que la police du *Homecoming* va venir t'arrêter parce que t'as fait une petite sieste de cinq minutes.

— Je ne sais pas. Je crois que la police du *Homecoming* est assez sévère en ce qui concerne ce genre de chose.

En riant à moitié, Riley ramena ses cheveux vers l'arrière et se mit à genoux pour commencer à ramasser les feuilles éparpillées.

— Mais sérieusement, je ne peux pas perdre davantage de temps, même pas cinq minutes. Il ne reste qu'un jour !

— Donc, c'est une bonne chose que je sois ici pour t'aider. Tu vois ?

Justin voulut s'accroupir pour l'aider à ramasser les feuilles sous les pupitres. Ce fut la goutte qui fit déborder le vase pour ses jambes endolories. Elles le lâchèrent complètement, et il s'écrasa au sol.

— Aaah !

— Justin !

Riley laissa tomber les feuilles qu'elle avait déjà ramassées et bondit vers l'avant pour essayer de l'attraper.

Je ne peux pas tomber sur Riley !

Avec une dernière poussée désespérée d'énergie, Justin propulsa le haut de son corps vers l'arrière au moment où elle agrippait sa chemise…

Et le son du tissu qui se déchirait remplit l'air.

Justin atterrit lourdement sur les fesses. De l'air frais caressait sa poitrine à travers la déchirure de sa chemise. À quelques mètres de lui, Riley clignait des yeux depuis l'endroit où elle était tombée, au beau milieu d'un énorme tas de feuilles éparpillées.

Ouais, je suis tout un héros ! se dit Justin.

Il y eut un instant de silence alors que les deux se fixaient. Puis, ils éclatèrent de rire.

— Bon, dit-il en retirant une feuille de papier d'en dessous de ses jambes. Tu dois vraiment être contente que je sois là pour aider, hein ?

Riley secoua la tête en rigolant. Ses cheveux habituellement si soignés étaient ébouriffés, sa blouse à boutons BCBG était fripée et Justin se dit qu'elle n'avait jamais été aussi adorable.

— Sais-tu quoi ? dit-elle. Tu as peut-être raison. *Homecoming* ou non... Nous avons tous deux vraiment besoin de nous reposer !

Daniel secouait la tête alors qu'il apportait encore plus de trucs dans la chambre de Justin, ce soir-là. Cette fois-ci, son jumeau lui avait demandé un verre d'eau, un sac de glaçons et un sac de petits pois congelés.

— Frérot, es-tu certain que c'est un vrai traitement médical ? demanda Daniel.

Il déposa les petits pois sur la table de chevet de Justin et haussa les épaules en lui remettant les glaçons.

— Je dois avouer que c'est la chose la plus étrange que je t'ai vu faire, même pour le football... Et ce n'est pas peu dire !

— Fais-moi confiance, dit Justin. Je suis prêt à essayer n'importe quoi. N'importe quoi pour faire cesser cette douleur !

Il se redressa sur son lit avec un effort évident et roula les jambes de ses pantalons de survêtement. Lorsque le sac de glaçons toucha sa peau nue, il poussa un gémissement.

— Tout ça a été causé par une seule séance d'entraînement? s'exclama Daniel. Je suis bien heureux de ne pas être un loup-garou.

Avant que Justin puisse prononcer un mot, Daniel eut un moment de recul en comprenant ce qu'il venait de dire.

— Ouais, c'est vrai… J'avais oublié pendant un instant.

Il soupira et prit le ballon de football sur le bureau de Justin. Ce n'était pas surprenant qu'il soit parfois mêlé; il était évident que Justin était tellement plus prédisposé au mode de vie de loup-garou que lui! Daniel grimaça en pensant aux autres gars lors du premier rassemblement de loups-garous. Ils étaient tous totalement concentrés sur la force et le sport. C'était mieux que Justin soit allé au deuxième rassemblement à sa place.

Mais, qu'est-ce que ça voulait dire à propos de Daniel?

Que ça lui plaise ou non, il allait devoir passer le restant de ses jours en tant que loup-garou. Quand allait-il trouver un moyen de s'intégrer aux autres?

OK, n'y pense plus. Ça ne donne rien.

Daniel cherchait quelque chose pour se changer les idées et désigna les trucs qu'il avait apportés pour Justin.

— C'est pas froid, ça? On dirait que ça doit vraiment faire mal.

— Pas du tout.

Justin termina de placer les petits pois et la glace autour de ses jambes.

— Le dernier entraînement est ce qui m'a fait mal. Ça, c'est le soulagement total. Je dois être totalement rétabli d'ici demain, sinon Kyle aura de vrais soupçons.

Il frissonna et, cette fois, Daniel comprit que ce n'était pas à cause des glaçons.

— T'aurais dû voir son visage lorsque mon téléphone a commencé à beugler ta chanson.

Daniel pouffa de rire.

— Est-ce que ça ressemblait à ça?

Il adopta une expression totalement blasée.

Justin rit.

— Ouais, c'était pas mal ça.

— Donc, c'était probablement juste une réaction à la chanson, dit fermement Daniel.

Il se laissa tomber dans la chaise à côté du lit de Justin en lançant distraitement le ballon d'une main à l'autre.

— Qu'est-ce que tu as, frérot? demanda Justin alors qu'il réorganisait les sacs de glace.

— Rien, dit Daniel.

Il se rendit compte en le disant à quel point ça avait l'air foireux. Il continua d'un ton nonchalant.

— J'imagine que tout le monde avait la même expression que lui, hein?

— Tu plaisantes? dit Justin en secouant la tête. Tous les autres loups-garous ont vraiment adoré cette chanson. À un certain moment, j'ai cru qu'ils allaient tous se mettre à pogoter.

— *Vraiment?* demanda Daniel en tentant d'avoir l'air cool et en se rendant compte qu'il ne réussissait pas du tout.

— Ouais, Daniel, dit Justin. Cette chanson *rockait*... tu sais, pour une ballade sirupeuse à propos de Deb... euh, *d'une fille quelconque* qu'un gars aime beaucoup.

Daniel se permit un sourire idiot, mais juste pour un instant. C'était quand même agréable de savoir que tout le monde ne trouvait pas sa musique nulle. Est-ce qu'ils l'avaient vraiment aimée, ou est-ce que Justin tentait simplement d'être poli ?

Daniel se concentra sur le ballon de football dans ses mains.

— Es-tu prêt pour le match de demain ?

À partir de son lit, Justin lui lança un regard à travers des yeux plissés tandis qu'il s'étirait.

— Frérot. Est-ce que j'ai l'air prêt ?

— C'est vrai. Désolé, désolé.

Daniel lançait nerveusement le ballon de football d'une main à l'autre.

— Je prendrais ta place à nouveau si je le pouvais, mais…

— Je comprends, dit Justin. T'as un engagement.

Ses mots furent étouffés par ses couvertures alors qu'il s'y emmitouflait.

— C'est ça.

C'était plus fort que lui : Daniel sentit un sourire idiot s'installer sur son visage en entendant ces mots.

— J'ai un engagement ! Un vrai engagement… La première fois que j'ai joué une note, j'entendais déjà l'acclamation d'une foule…

Justin lui fit un grand sourire.

— Es-tu sûr que ce n'était pas plutôt les cris des voisins qui te demandaient de faire moins de bruit?

— Aïe! dit Daniel en faisant semblant d'avoir mal alors qu'il remettait le football sur le bureau de Justin.

— Hé! Es-tu *sûr* que tu seras en état de jouer demain?

— Oh, crois-moi…

Justin serra les dents alors qu'il ajustait les sacs de glace encore une fois.

— Je vais montrer à ces Bêtes que je suis aussi coriace que n'importe lequel d'entre eux, loup-garou ou non. Je vais bien reposer mes muscles ce soir, et je serai prêt à livrer la bataille demain.

— Vas-y fort, frérot!

Daniel cogna les poings avec son frère en guise d'encouragement.

— Maintenant, je ferais mieux d'aller travailler sur ma propre préparation.

Son esprit était déjà envahi par la musique lorsqu'il se dépêcha à traverser leur salle de bain partagée pour aller à sa propre chambre, où son bureau était recouvert de partitions, de feuilles remplies de paroles et d'une seule feuille recouverte de titres potentiels de chansons. C'était ça, l'objectif de Daniel : la liste des chansons que son groupe jouerait à leur spectacle le lendemain.

Il devait faire le choix final des chansons ce soir-là. Dans la bergerie n'avait que cinq chansons pour faire bonne impression et pour faire de leur premier spectacle une vraie réussite! Chacune des chansons devait être mémorable.

Mais lesquelles étaient les meilleures ?

Tandis que Daniel s'assoyait à son bureau, un gribouillis au bas de la page capta son attention.

Ah-loup l'amour ? *Oublie ça !*

Daniel grimaça. À quoi avait-il pensé ? Non seulement Milo avait volé sa chanson, il l'avait aussi complètement ruinée avec sa version désastreuse.

Comment Daniel pourrait-il encore y croire après avoir entendu sa chanson se faire malmener autant ? De plus, Dans la bergerie n'avait même pas eu la chance de la pratiquer !

Et ce n'est même pas ça le pire, se rendit-il compte.

Non, le pire, c'était que si jamais ils la jouaient au bal du *Homecoming*, Debi l'entendrait... et comprendrait qu'il l'avait écrite pour elle.

Comment pourrait-elle ne pas le comprendre ?

Il secoua la tête, découragé par sa propre stupidité. Il y avait toutes ces mentions de cheveux roux. Si elle changeait la couleur de ses cheveux d'ici le lendemain... Mais il ne voulait pas qu'elle fasse ça.

Elle est absolument parfaite comme elle est, se dit Daniel d'un ton rêveur.

Il commença à griffonner d'autres mots dans le coin de la page.

Rouge comme les flammes... rouge comme une étoile qui explose... rouge comme un cœur en feu...

Arrête ! Danger !

Il déposa brusquement le crayon en frissonnant.

C'est exactement comme ça que je me suis mis dans de beaux draps la dernière fois !

Ah-loup l'amour comprenait beaucoup de phrases révélatrices comme celles-ci. Si Debi l'entendait la chanter le lendemain soir, elle saurait sans aucun doute — comme tous les autres au bal ! — que Daniel l'aimait bien.

Gênant !

Ce serait encore pire si le groupe la jouait pendant la danse cérémoniale du roi et de la reine du *Homecoming*; Daniel pourrait se retrouver à chanter une chanson qui parlait de Debi *pendant qu'elle danserait avec un autre gars!*

Cette pensée le fit ravaler sa salive, horrifié.

Ça. N'arrivera. Pas!

Ah-loup l'amour était en suspens en tant que chanson… du moins pour le moment. Il ne pouvait pas prendre ce risque.

Il inscrivit rapidement la dernière chanson de la liste, *Fil de fer en feu*, une chanson qui *rockait* de manière *sécuritaire* sans dévoiler quoi que ce soit de gênant. Au moment où il rangeait ses feuilles de paroles et de musique, il entendit sa mère les appeler, son frère et lui, du bas des escaliers.

— Les gars? J'aurais juré que j'avais un sac de petits pois au congélateur. Est-ce que l'un de vous l'a vu?

— Ah, ha! ricana Daniel en pensant au « traitement médical » de Justin.

Il décida de laisser Justin répondre à cette question et de le remercier plus tard d'avoir sauvé le souper…

Je déteste les petits pois!

CHAPITRE 9

Justin se sentait déjà bien avant-même la mi-temps du match du *Homecoming*. Ses muscles étaient peut-être encore endoloris, mais ils ne l'avaient pas lâché. Pas encore.

Il n'était peut-être pas au meilleur de sa forme, mais bon, étant donné que Pine Wood avait une avance confortable, il n'avait pas besoin de l'être! Le match se déroulait si bien qu'il pouvait se la couler douce. Ses jambes le supporteraient sans problème, pourvu qu'il ne pousse pas trop.

À moins que Mackenzie continue à m'encourager! se dit Justin en grimaçant et en sentant sa concentration vaciller alors que la voix de Mackenzie s'élevait au-dessus du bruit de la foule et se dirigeait droit vers lui… encore!

En tant que capitaine de l'équipe de meneuses de claque, elle n'avait même pas encouragé un autre joueur de toute la journée.

— Packer, Packer c'est le meilleur ! Sur le terrain, tout le monde en a peur !

Justin voûta les épaules. Il essayait de ne pas regarder les autres joueurs de son équipe. Il avait trop peur de la façon dont ils le regarderaient.

Au moins, Daniel n'est pas ici.

Justin pouvait s'imaginer ce que son jumeau dirait à propos des « paroles » de Mackenzie !

Même si Daniel était parti se préparer pour son spectacle, Justin savait que Riley était là, dans les estrades, écoutant ces encouragements avec le reste de l'école. Mackenzie n'aurait pas pu faire savoir plus clairement à tout le monde à portée de voix qu'elle considérait Justin comme son nouvel intérêt. Et elle n'aurait pas pu trouver une pire façon de le gêner devant le reste de son équipe !

Lorsque Kyle demanda un rassemblement, Justin poussa un soupir de soulagement. Avec Mackenzie qui le marquait comme son territoire devant Riley et tous les autres, il n'arrivait plus à se concentrer sur le match. C'était un plaisir de se rassembler en sécurité parmi les autres Bêtes. Enfin, jusqu'à ce que Kyle le fusille du regard.

— Il serait temps que t'arrêtes de te péter les bretelles devant ta copine, Packer.

Justin le fixa.

— Je ne…

— Ne gaspille pas ta salive, dit sèchement Kyle. Tu t'amuses peut-être à écouter tous ses encouragements, mais ce n'est pas Mackenzie Barton qui mène, ici. C'est *moi*. J'ai besoin que tu reviennes au jeu, et j'ai besoin que tu commences à donner tout ce que tu as. Tu peux t'occuper de ta vie amoureuse dans tes temps libres, Packer. Il ne faut pas que ça interfère avec le match! Si nous réussissons ce jeu, nous mènerons par vingt points. Là, on pourra se la couler douce pour la deuxième moitié. Compris?

— Compris!

Justin aurait pu pousser des cris de soulagement.

— Quel jeu vas-tu faire?

Kyle sourit férocement en montrant toutes ses dents.

— On va faire le loup *enragé*!

Oh non.

Justin sentit son soulagement s'évaporer, laissant ses jambes molles sous son poids. Il dut se racler la gorge avant de pouvoir reparler.

— Es-tu… es-tu sûr?

— Est-ce que je suis sûr?

Kyle lança un regard incrédule à Justin.

— Est-ce que tu me poses vraiment cette question, Packer? Tu sais que c'est l'un de nos jeux les plus forts.

Le jeu loup enragé était l'un des plus efficaces qu'ils avaient développés… et le jeu le plus difficile à faire pour Justin en tant que porteur de ballon de l'équipe. Il devait charger directement à travers la ligne de mêlée et courir à toute allure pour attraper la passe de Kyle, tout ça en bougeant le plus rapidement possible, et les joueurs de l'autre équipe feraient tout leur possible pour le ralentir.

Ce jeu était *intense* même lorsqu'il était en super forme. Tous ses efforts étaient nécessaires pour qu'il puisse le réussir, et ce, même lorsque tout allait bien. Mais puisqu'il avait encore mal aux jambes à cause de la veille…

Justin ravala avec peine sa salive.

Je ne pense pas que je peux réussir.

Il adopta un ton nonchalant.

— C'est juste que je ne suis pas sûr qu'on en ait besoin là, puisque le match se déroule très bien. On ne devrait pas le garder au cas où on en aurait besoin plus tard ?

— Hé, nous sommes des *loups*, dit Chris. Les loups n'y vont pas prudemment !

Kyle fit un tope là à Chris.

— C'est en plein ça, mon gars. Quant à toi, Packer...

Il lança un regard entendu à Justin.

— Si tu réussis ce touché, on va mener par les vingt points nécessaires. Après ça, on devra y aller doucement pour que le pointage ne soit pas trop élevé, car ça pourrait éveiller les soupçons.

— D'accord...

Justin haussa les épaules. Ils savaient tous qu'ils ne pouvaient pas se permettre de gagner par trop de points, pas s'ils voulaient garder le secret des loups-garous en sécurité, mais bon...

— Et ça veut dire que...

Kyle fit une pause significative.

— Si tu réussis ce touché, tu auras fini. Tu pourras rester sur le banc pendant toute la deuxième moitié.

Ouais !

Justin dut s'empêcher de pousser un cri de joie. Il se força à hausser les épaules et à adopter une expression indifférente.

— Je peux bien rester sur le banc pour la deuxième moitié… si tu penses *vraiment* que c'est une bonne idée.

Il supplia silencieusement ses jambes.

Allez ! On peut réussir ! Un dernier jeu, puis ce sera la liberté !

Malheureusement, ses jambes ne semblèrent pas impressionnées par sa plaidoirie. Il sentit des douleurs lancinantes alors qu'il se mettait en position pour le jeu.

Justin se serra les dents.

Je vais faire tout ce que ça prendra pour rester sur le banc pendant la deuxième moitié !

Alors qu'il se préparait, Mackenzie poussa un nouveau cri :

— On va gagner ! Justin va nous y mener !

Tant que je réussis à faire ce jeu, répondit-il silencieusement, *je me fous bien de ce que tu vas crier.*

Il plissa les yeux et attendit le signal de Kyle.

Et… allez !

Kyle attrapa le ballon, et Justin fonça vers la ligne de défense. Il se forgea un chemin à travers la ligne de joueurs pour se faire un espace libre en grognant aussi férocement qu'un loup.

Personne ne peut m'arrêter!

Il poussa un grognement d'efforts, passa à travers la ligne et força ses jambes à bouger encore plus vite, ignorant les douleurs vives qu'elles lui causaient. Il *devait* arriver à l'autre bout du terrain à temps! Alors qu'il dévalait le terrain de gazon artificiel, il entendit la foule retenir son souffle.

Il savait ce que ça voulait dire…

Kyle avait lancé le ballon de l'autre bout du terrain, et il *fallait* que Justin arrive à temps pour l'attraper!

L'ombre du ballon passa par-dessus lui… et il allait beaucoup, beaucoup trop vite.

Je n'y arriverai pas, se dit-il.

Peu importe à quel point il se poussait, ses jambes épuisées ne pouvaient avancer plus rapidement. Il ne pouvait rien y faire.

À moins que…

C'était un pari risqué. Il ne l'avait jamais essayé pendant les entraînements. Mais peut-être, peut-être…

Il pensa à Riley qui se forçait à travailler sans sommeil. Il pensa à Daniel qui avait gagné la *Guerre des groupes*, même si sa chanson avait été volée.

Il poussa un rugissement d'effort et se lança dans les airs, sautant aussi haut qu'il le pouvait.

Les bouts de ses doigts effleurèrent le ballon…

Et ses mains se refermèrent autour de lui alors qu'il atterrissait sur la ligne de vingt verges de l'équipe adverse.

Ses pieds touchèrent le sol durement et dans un mauvais angle. Justin perdit l'équilibre et commença à tomber vers l'avant. Il se rattrapa juste à temps et raffermit sa prise sur le ballon. Il poussa un cri triomphal, se redressa et fonça jusqu'à la zone des buts !

— Touché, Pine Wood !

La voix de l'annonceur résonna dans le porte-voix.

— Youhouuuuuuuuuuuuuu !

— PACKER !

— Trop génial, mon gars !

Les Bêtes se précipitèrent de l'autre bout du terrain pour l'entourer en rugissant leur approbation tout en lui donnant des tapes sur les épaules et dans le dos. Gonflé à bloc d'adrénaline, Justin ne vacilla même pas sous cette attaque.

— T'as bien fait semblant d'être humain ! chuchota Ed avec approbation alors qu'il faisait un tope là brutal à Justin. T'es vraiment un bon comédien !

— Mmh.

Justin fit un grand sourire.

— Merci, mon gars. C'était rien.

— Ah non ?

Kyle haussa les sourcils ; son regard était intense.

— Ne te sous-estime pas, Packer.

Il tendit la main à Justin pour serrer la sienne.

— Fais-moi confiance. On veut savoir de quoi t'es *vraiment* fait.

Sa main agrippa celle de Justin et la serra — *fort*.

Justin se figea lorsqu'il vit les yeux de Kyle se plisser de manière calculatrice. Ce serrement de main extrafort n'était pas juste un signe d'enthousiasme ou d'insouciance, n'est-ce pas ? Non. C'était un test. Un test pour voir la force de Justin, pour voir s'il sentirait de la douleur, pour voir s'il était *vraiment* un loup-garou !

Justin fit un grand sourire à Kyle et serra sa main de toutes ses forces. La poussée d'adrénaline causée par son touché était encore si forte qu'il ne sentait même pas de douleur là où la main de Kyle écrasait la sienne.

J'ai quand même réussi le jeu loup enragé, se dit Justin alors qu'il souriait férocement au chef des Bêtes. *Grâce à moi, on mène par vingt points. Tu ne peux même pas prétendre que je n'ai pas ma place ici.*

Le sifflet annonça la mi-temps. Kyle lâcha la main de Justin et haussa les épaules. Alors que la foule maison acclamait Pine Wood, le groupe des Bêtes s'en alla sur les lignes de côté en poussant des cris et des hourras avec leurs admirateurs.

Justin traînait derrière les autres en scrutant la foule dans les estrades. Riley devait y être. Si seulement il pouvait l'apercevoir…

Oh non.

C'était *lui* qui s'était fait apercevoir. Mackenzie était debout sur le bout des orteils, entourée de ses meneuses de claque. Ses lèvres se recourbèrent en un sourire lorsque leurs regards se croisèrent.

Elle leva un pompon pour lui faire signe d'approcher.

Justin plongea rapidement au beau milieu des Bêtes pour se cacher. Même au centre de l'équipe, il sentait le regard de Mackenzie sur lui. Il essaya de ne pas regarder dans sa direction alors qu'il s'installait sur le banc entre ses coéquipiers.

La foule entière devint silencieuse lorsque la directrice Caine arriva sur le terrain en tenant deux enveloppes dans une main et un microphone dans l'autre.

Justin humecta ses lèvres, nerveux. Du coin de l'œil, il pouvait voir que Mackenzie était tendue d'excitation.

Ça y est.

Ces enveloppes ne pouvaient signifier qu'une chose : le roi et la reine du *Homecoming* avaient été choisis.

— Hé, Packer, c'est ton grand moment, dit Chris avec un grand sourire tout en le poussant du coude. As-tu voté pour toi-même ?

— Mon gars, tu sais qu'il l'a fait, répondit Ed de l'autre côté de Justin. Sinon, comment pourrait-il danser avec Mackenzie devant toute l'école ?

Aïe !

Justin agrippait le banc avec tant de force qu'il en avait mal aux doigts. S'il devait danser avec Mackenzie devant toute l'école ce soir-là, il danserait avec elle devant Riley! Et que penserait Riley de lui?

Il ne pouvait pas être roi du *Homecoming*. Il ne fallait pas qu'il le soit.

— Étudiants, dit la directrice Caine en pinçant les lèvres, je suis certaine... que nous sommes tous très excités d'enfin partager ce moment.

Elle semblait aussi déprimée que si elle était à des funérailles.

Ce sont peut-être les miennes, se dit Justin.

— Notre roi du *Homecoming* de cette année est...

La directrice Caine ouvrit l'enveloppe.

Pitié, pas Mackenzie, se dit Justin. *Enfin... Mackenzie peut être la reine — tant que je ne suis pas le roi! Pitié, pas moi... Pitié, pas moi...*

La directrice Caine soupira dans le microphone.

— Justin Packer!

Sérieusement?

Justin était bouche bée. Il s'était attendu à se sentir gêné... mais en fait, il se sentait très bien. Toutes ces personnes avaient voté pour lui.

— Allez, mon gars !

Ed le tira pour qu'il se lève.

— Salue la foule !

— Mmh…

Justin se leva avec nervosité et hocha la tête en guise de salut. Les applaudissements des gens dans les estrades s'intensifièrent. Malgré lui, Justin sentit son sourire en devenir un vrai.

Il ne voulait absolument pas être le roi si Mackenzie était reine, mais il devait admettre que c'était bien de se sentir aimé.

Alors que Mackenzie lui faisait un sourire triomphant, Justin se mit sur la pointe des pieds pour essayer de trouver le visage de Riley dans la foule. Elle était introuvable.

— Et maintenant…

La directrice Caine se racla la gorge, et la foule devint à nouveau silencieuse.

Justin se tenait sur ses jambes endolories, prêt pour le jugement final.

Ça y est !

— Nous ne pouvons quand même pas avoir de roi sans avoir une reine, dit sèchement la directrice Caine. Donc, l'étudiante choisie comme reine du *Homecoming* de Pine Wood est...

Est ?

Justin n'arrivait plus à respirer.

La directrice Caine fit un petit sourire pincé.

— Elle sera nommée ce soir au bal !

Elle glissa la deuxième enveloppe dans sa poche.

— Je vous souhaite une bonne deuxième moitié de match, tout le monde.

Le peu de force qui restait dans les jambes de Justin l'abandonna brusquement. Il retomba sur le banc en gémissant.

— Voyons, Packer, dit Kyle en secouant la tête. Tu prends ça pas mal au sérieux. Je ne pensais pas que la popularité était si importante pour toi. As-tu peur de ne pas pouvoir danser avec ta copine ?

— Mackenzie n'est *pas* ma copine, marmonna Justin.

Il ferma les yeux et sentit la douleur courir le long des muscles de ses jambes.

— Si on se fie à ses cris, on dirait bien que c'est ta copine, dit Chris.

Ed pouffa de rire.

— Et elle te *regarde* comme si elle était ta copine.

— Peut-être qu'elle sera sa copine seulement si elle gagne, dit Kyle. C'est peut-être pour ça qu'il a l'air si nerveux.

— Peu importe.

Justin serra les dents, mais il ne dit pas un mot de plus, même lorsqu'ils continuèrent à le taquiner. Il était trop tendu pour se débattre. S'il le faisait, il pourrait tout simplement exploser en raison de toute cette pression et tout leur révéler.

Pourquoi la directrice Caine n'avait-elle pas tout simplement annoncé le nom de la reine du *Homecoming* comme tout le monde croyait qu'elle le ferait — et pour abréger ses souffrances?

Pitié, faites que ce soit Debi, et pas Mackenzie. Faites que la campagne de Riley ait porté ses fruits!

En disant cela, il sentit une petite vague de soulagement.

À quoi ai-je pu penser? C'est Riley. Bien sûr que ça a fonctionné!

Riley réussissait tout ce qu'elle entreprenait. Elle était la reine de l'organisation! Puisque Riley était responsable de la campagne de Debi, elle était sûre de gagner. Et ça voulait dire qu'il n'y avait aucune possibilité que Justin soit obligé de danser avec Mackenzie devant Riley ce soir-là.

Justin s'affaissa de soulagement en comprenant ceci. Il se détendit enfin et envoya la main à ses coéquipiers alors qu'ils prenaient place sur le terrain pour l'autre moitié du match. Il étira ses jambes endolories et se prépara à profiter du reste du match.

Puis, il croisa accidentellement le regard de Mackenzie. Elle le regardait en faisant un grand sourire. De l'autre côté du terrain, elle désigna Justin, après quoi elle se pointa elle-même.

— Toi et moi, dit-elle silencieusement. Ce soir.

Puis, elle leva les bras et déposa une couronne invisible sur sa tête.

Justin gémit. Toute sa confiance s'était évaporée et avait laissé place au désespoir le plus pur.

Il faut que la campagne de Riley ait réussi !

CHAPITRE 10

aniel était allé au gymnase de l'école un nombre incalculable de fois, mais il ne l'avait jamais trouvé aussi grand... ni si épouvantablement intimidant.

Tout ça devient beaucoup trop réel.

Oui, il y avait des banderoles et des rubans gais accrochés partout dans le gymnase, ainsi que des tables débordantes de nourriture délicieuse pour le bal — le tout installé par Riley —, mais Daniel se fichait de tout ça. Il n'était intéressé que par la scène improvisée en bois placée sur le plancher à l'autre bout du gymnase. L'ensemble de batterie d'Otto était déjà installé à l'arrière, et le microphone et les amplificateurs étaient branchés et n'attendaient qu'une chose : que le groupe monte sur scène lorsque les danseurs arriveraient.

Tout avait l'air vrai. Tout avait l'air *professionnel*. Peu importe combien d'étudiants envahiraient le gymnase lorsque le bal commencerait, chacun d'entre eux serait capable de voir et d'entendre Dans la bergerie.

Daniel se sentit soudainement malade ! Pire que malade, il se sentait comme lorsqu'il allait se *transformer*.

Il poussa son ventre sans ménagement avec sa main et se pencha sur sa guitare pour que personne ne puisse voir son visage. Il était dans l'ombre de la scène. Il espérait que si jamais quelqu'un l'apercevait de l'autre côté du gymnase, il aurait simplement l'air à prendre ses exercices de réchauffement au sérieux.

Calme-toi , se dit-il tout comme il l'avait fait lorsqu'il avait senti la transformation l'envahir après sa dispute avec Milo. *Tu n'as qu'à te calmer, et tu ne te transformeras pas… C'est parfaitement normal. Tu n'es qu'un garçon normal de treize ans dont le groupe génial se prépare pour son…*

Il avala sa salive avec peine, et la nausée faillit l'envahir.

Son spectacle!

Tout d'un coup, ce simple mot qu'il aimait dire plus que tout et auquel il pensait avec tant de plaisir était devenu le mot le plus terrifiant de tous.

C'est une grosse erreur.

Ses doigts se figèrent sur les cordes de sa guitare. Sa bouche était sèche, et il pouvait entendre son cœur battre la chamade dans ses oreilles.

À quoi avait-il pensé? Faire auditionner le groupe pour un vrai spectacle? Ils n'étaient pas prêts! Ils avaient besoin de plus de pratique! Il devrait peut-être aller le dire à la directrice Caine tout de suite. Ils seraient peut-être prêts dans un autre mois… Ou peut-être qu'attendre trois mois serait encore mieux… Tant qu'à faire, pourquoi ne pas attendre toute une année par prudence?

Je dois annuler tout ça!

Il s'arma de courage et leva le regard. Nathan et Otto souriaient et échangeaient des blagues en mangeant de la trempette aux nachos qui se trouvait sur l'une des tables recouvertes de nourriture. Ils n'avaient pas l'air nerveux. Pourquoi n'étaient-ils pas nerveux?

Daniel gémit silencieusement. Il était peut-être le seul qui avait quelque chose à craindre.

OK, s'avoua-t-il. *J'ai beaucoup à craindre.*

Et s'il ratait une note pendant que toute l'école écoutait? Et si ses ongles de loup brisaient toutes les cordes de sa guitare? Et si... En pleine détresse, il ferma les yeux lorsqu'il pensa à la pire possibilité de toute.

Et si jamais tout le monde rit de mes paroles?

— Hé, Daniel! Commences-tu à être excité?

Il ouvrit brusquement les yeux. Debi se dirigeait directement vers lui, vêtue d'une élégante robe violette qui tournoyait autour de ses jambes. Sa magnifique chevelure rousse cascadait autour de ses épaules, et elle portait de longs gants violets qui montaient jusqu'à ses coudes. On aurait dit qu'elle sortait directement des pages de l'une de ses bandes dessinées préférées!

— Wow! s'exclama Daniel en clignant des yeux. Tu es comme...

Wô! Arrête!

Il arrêta de parler, car son cerveau venait de rattraper sa bouche.

Ne dis pas à la fille que tu aimes qu'elle ressemble à une superhéroïne de bandes dessinées ! Elle va penser que t'es nul !

— Comment me trouves-tu ?

Elle fit un grand sourire et pirouetta pour bien lui montrer sa robe.

— Qu'en penses-tu ? Est-ce que c'est acceptable à Pine Wood de venir au bal du *Homecoming* comme si j'allais combattre le crime ?

Elle est vraiment la fille parfaite !

— Absolument, dit Daniel. Si tu as besoin d'un faire-valoir, je suis là !

— Ah oui ?

Elle haussa un sourcil et le regarda de haut en bas.

— Les superhéroïnes doivent faire très attention lorsqu'elles choisissent un faire-valoir, tu sauras. Quel serait *ton* pouvoir spécial ?

— Euh…

Daniel faillit s'étouffer.

Elle ne veut vraiment pas connaître ma réponse honnête à cette question !

— Voyons… Je pourrais hypnotiser les méchants avec ma musique ?

— Mmh.

Debi fronça les sourcils de manière adorable. Puis, elle sourit et lui fit un clin d'œil.

— Je ne sais pas ce que tu en penses, mais *Debi l'indomptable et Hypno-Dan* est sans aucun doute le titre d'une bande dessinée que *je* lirais !

— Moi aussi, répondit Daniel.

Sa voix était un peu étouffée. Il remarqua à peine que ses pieds se déplaçaient, le rapprochant d'elle. Il jeta un coup d'œil des plus subtils à ses mains.

Fiou. Elles sont encore humaines !

En fait, il était à l'aise près de cette fille.

— Peut-être que…

— Hé ! Je suis là !

Riley se précipita vers eux. Pour une fois, elle ne transportait aucune planchette à pince, mais les cernes sous ses yeux étaient presque aussi noirs que son tee-shirt de groupe.

— Désolée pour mon retard ! Il me restait encore plusieurs petites choses à installer. Mais ma voix est bien réchauffée, et je suis prête pour le spectacle. Promis !

— Tout ça est vraiment magnifique, Riley, dit Debi.

Elle fit un geste de la main vers les tables de nourriture et de boissons d'un côté de la pièce, ainsi que les énormes banderoles qui pendaient du plafond.

— Debi a raison.

Maintenant qu'il était un peu plus détendu, Daniel jeta un coup d'œil au gymnase d'un nouveau point de vue…

— Tu as vraiment travaillé fort, et tout est fantastique. Oh, et cette trempette aux nachos est la meilleure que j'aie jamais goûtée.

Il fit un geste vers Nathan et Otto.

— Ils n'ont pas arrêté d'en manger depuis qu'on est arrivés ! Où as-tu trouvé ça ?

— Oh, ça ? C'est fait maison.

Riley fronça les sourcils en regardant la table où Nathan et Otto s'étaient installés.

— Pensez-vous qu'il y en a assez ? J'ai fait huit pots, mais…

— Une minute, dit Daniel en la fixant. Es-tu en train de dire que t'as fait la nourriture *toi-même* ? Tout en organisant absolument tout ?

Riley haussa les épaules, mal à l'aise.

— J'avais du temps libre, hier soir.

— *Quand* ? demanda Daniel en secouant la tête, incrédule.

Elle fronça les sourcils.

— Mmh… Je pense que c'était un peu après minuit, peut-être. Je commençais à être pas mal fatiguée, donc il fallait que je fasse quelque chose en étant debout avant de me remettre à travailler sur les banderoles.

Debi la regarda en fronçant les sourcils.

— As-tu dormi au moins un peu, cette semaine, Riley ?

— Eh bien…

Alors que Riley secouait la tête, Daniel sentit son estomac s'alourdir et toute sa nervosité d'avant revenir. Les grandes portes au bout du gymnase venaient de s'ouvrir, et les étudiants commençaient à entrer, habillés comme des vedettes de cinéma. Tout le monde bavardait et riait d'excitation. Dans quelques instants, le gymnase serait bondé de monde. Dans la bergerie était sur le point de donner son premier spectacle dans cinq petites minutes, devant toute l'école… et on aurait dit que leur chanteuse était prête à tomber dans les pommes d'un moment à l'autre !

Ça va être encore plus désastreux que ce que je pensais !

Puis, le regard de Daniel croisa celui de Riley, et il vit son entêtement briller comme une flamme. Elle redressa ses épaules, et Daniel se détendit.

Comment aurais-je pu oublier ? On ne parle pas de n'importe qui. C'est Riley Carter.

Il connaissait Riley depuis la maternelle, et elle n'avait jamais abandonné quoi que ce soit d'important. Elle avait tout donné aux auditions, malgré son épuisement, et elle le ferait encore maintenant, parce qu'ils avaient besoin d'elle.

Et si elle pouvait le faire, Daniel pouvait le faire aussi.

— On dirait que l'heure du spectacle est arrivée, dit Debi.

Elle serra le bras de Daniel.

— Bonne chance !

La directrice Caine monta les marches pour se rendre sur la scène, vêtue de son tailleur gris habituel et ayant une expression aussi sinistre que d'habitude. Les portes du gymnase se refermèrent derrière les derniers étudiants, l'équipe de football qui arrivait en équipe, alors qu'elle se rendait au microphone en se raclant la gorge.

— Hum.

Elle se racla la gorge à nouveau alors que le silence s'installait dans le gymnase.

— Hum.

Désormais, tout le monde la regardait et attendait qu'elle parle.

— Hum.

Allez, vas-y ! se dit Daniel.

Ses muscles étaient contractés mais, cette fois-ci, c'était en raison de l'anticipation, et non de la peur.

Je veux rocker *!*

La directrice Caine fit un petit sourire en regardant tout autour du gymnase.

— Bienvenue, tout le monde, au bal du *Homecoming* de cette année, dit-elle. Maintenant, je suis honorée d'annoncer que la reine du *Homecoming* de cette année est…

Elle glissa l'enveloppe hors de sa poche.

Ça y est.

Daniel vit Riley saisir la main de Debi pour supporter sa candidate.

Daniel sourit à Debi. Elle n'avait pas semblé se soucier des résultats de cette compétition, mais qui pouvait savoir comment elle se sentait vraiment ?

Il aperçut le visage angoissé de Justin dans la foule.

Eh bien, voilà une personne qui s'en soucie vraiment !

De l'autre côté du gymnase, Mackenzie Barton, vêtue d'une longue robe rose ample, affichait un sourire suffisant. Elle était entourée de partisanes qui semblaient déjà être occupées à la féliciter. Daniel serra les dents.

Il se rendit compte de son expression hargneuse seulement lorsqu'il capta le regard surpris de Debi.

Oh, oh.

Il tenta de changer d'expression, mais il était trop tard. Elle s'était déjà retournée pour regarder la directrice Caine, grimaçant lorsque la main de Riley serra la sienne plus fort.

Elle va gagner, se rassura Daniel. *Elle doit gagner, pour Justin. Mais si elle gagne…*

Il soupira. Est-ce qu'une reine du *Homecoming* comme Debi s'intéresserait à un rockeur débraillé, secrètement loup-garou comme lui ?

La directrice Caine ouvrit l'enveloppe et en retira un bout de papier. Le gymnase complet semblait être figé en anticipation.

— Riley Carter ! lut-elle. Riley Carter est notre reine du *Homecoming* !

Il y eut un moment de silence stupéfait, puis une voix résonna.

— QUOI ?

Mackenzie Barton était rouge de fureur.

— Mmh… Ouais… dit Riley.

On aurait dit qu'elle venait de se réveiller d'un rêve.

— Quoi ?! dit-elle, ébahie.

— Comment est-ce que ça peut même être possible ? hurla Mackenzie.

La directrice Caine fusilla Mackenzie du regard à travers ses lunettes.

— Les votes ont été comptés, mademoiselle Barton, et mademoiselle Carter a gagné. En fait, presque tous les votes ont été pour elle.

— Mais…

Riley secouait la tête en tenant toujours la main de Debi avec une expression ahurie.

— Je ne comprends pas. Je ne savais même pas que j'avais été nommée !

La directrice Caine soupira.

— Ça, c'est par ce que tu étais trop occupée à parler de l'organisation du *Homecoming* pour savoir que tu faisais partie des candidates.

— Mais je... Je...

Riley semblait être à deux doigts de perdre connaissance.

— C'est révoltant! cria Mackenzie en se retournant abruptement, les sourcils froncés. Je refuse de faire partie de ce scandale!

Elle sortit d'un pas lourd, furibonde, les talons de ses souliers claquant sur le plancher, et elle claqua la porte derrière elle de toutes ses forces. Ce son était exactement ce dont Daniel avait besoin pour passer à l'action.

Riley était son amie depuis la maternelle. Il devait la soutenir.

Justin avait dû commencer à bouger avant lui. Il se fraya un chemin jusqu'à Riley à travers le gymnase bondé avant même que Daniel la rejoigne... mais elle ne sembla remarquer ni l'un ni l'autre. Toute son attention était concentrée sur Debi.

— Je suis vraiment désolée! se lamentat-elle. Je n'en avais aucune idée, Debi. Je te le promets. Je n'aurais jamais rivalisé avec toi, surtout que j'étais ta directrice de campagne! Si seulement je m'étais aperçue que...

— Ne t'en fais pas, Riley!

Debi rit et lui fit un câlin.

— Tu sais quoi ? J'ai voté pour toi aussi ! Tu méritais totalement de gagner. Il est clair que toute l'école apprécie tous les efforts que tu fais pour t'assurer qu'on s'amuse tous !

— C'est en plein ça ! renchérit Justin, rayonnant de fierté. C'est quelque chose chez toi que nous *aimons*.

En entendant ces mots, Riley s'immobilisa et écarquilla les yeux de surprise. Son visage rougit.

Debi regarda Justin, puis Riley, qui avait les lèvres tremblantes. Alors que Daniel regardait la scène, le visage de son frère se mit à rougir lorsqu'il se rendit enfin compte de ce qu'il venait de dire.

— Quelque chose que nous aimons *tous*, ajouta rapidement Justin.

Oups !

Souriant largement, Daniel se joignit à la conversation pour couvrir son jumeau gêné.

— Personne n'en fait plus pour cette école que toi, Riley. Et c'est vraiment génial que le vote populaire t'ait élue au lieu de l'impératrice autoproclamée !

— Absolument, dit Debi en faisant un sourire approbateur à Daniel. Je ne peux penser à personne d'autre que je préférerais avoir comme reine pour la prochaine semaine!

— Mais je ne peux pas!

Riley secouait la tête frénétiquement.

— Vous ne comprenez pas. Je ne suis pas une reine! J'aime organiser, pas mener!

— Riley…

Daniel soupira.

— Qui pourrait mieux mener que toi? Tu as toujours été la reine de l'organisation. Maintenant, tu es la reine du *Homecoming* aussi! C'est logique.

— *Parfaitement* logique, renchérit Debi en faisant un autre gros câlin à Riley. Et tu vas être fantastique. Je te le promets.

— Hum.

La directrice Caine se racla la gorge bruyamment sur la scène juste à côté d'eux.

— Je suis désolée d'interrompre ce moment… hum… touchant, mais avez-vous oublié quelque chose, monsieur Packer?

— Pardon? dit Daniel en fronçant les sourcils. Qu'est-ce que j'ai oublié?

La directrice Caine leva les yeux au ciel.

— Tu es *censé* être sur la scène en ce moment avec ton groupe. Vous jouez la chanson sur laquelle le roi et la reine dansent !

Oh non.

Daniel vit l'expression horrifiée de Riley lorsqu'elle comprit la situation. Les deux tentaient de résoudre leur plus grand problème en même temps.

Nathan était arrivé à côté de lui.

— Comment on va faire pour jouer si notre chanteuse est sur le plancher de danse ?

— Euh…

Daniel ravala sa salive avec peine en essayant de combattre sa panique.

— Donne-moi une minute pour trouver une solution.

— Si vous insistez.

La directrice descendit les marches en marmonnant à voix basse. Elle parlait trop doucement pour que qui que ce soit puisse entendre, mais l'ouïe de loup-garou de Daniel capta parfaitement ses mots.

— Comme si l'identité de la personne qui chante ces chansons déprimantes et trop bruyantes pouvait faire une différence !

Ouille.

Il grimaça. Riley interpréta mal son expression.

— Je suis vraiment désolée, Daniel. Je ne savais pas que ça allait se produire. Mais je ne peux *pas* chanter et danser en même temps ! Je laisserais sûrement tomber le microphone, puis je trébucherais dessus !

Daniel pouffa de rire en s'imaginant la scène, et ses épaules se détendirent.

— Ne t'en fais pas.

Les mots de la directrice Caine lui avaient donné une idée. Elle trouvait que toutes leurs chansons étaient déprimantes, n'est-ce pas ? Eh bien, il allait lui montrer à quel point elle avait tort… et donner à son frère un *slow* dont il se souviendrait.

— Prends place sur le plancher de danse et ne pense à rien d'autre, dit-il à Riley. J'ai une idée…

Il aurait peut-être dû être plus nerveux, mais maintenant que Riley avait été nommé reine et que Debi avait révélé qu'elle était secrètement une mordue de bandes dessinées, tout semblait possible !

Quelques minutes plus tard, Riley et Justin avaient pris place au centre du gymnase, alors que Daniel et les autres membres du groupe s'étaient rassemblés sur la scène.

— Ne vous inquiétez pas, leur chuchota-t-il. Vous *pourrez* jouer la chanson. Soyez attentifs aux changements clés, et essayez de garder la cadence…

Il adopta un sourire confiant et se rendit à grands pas jusqu'à l'avant de la scène pendant qu'Otto et Nathan prenaient place derrière lui. Le reste des étudiants s'était rassemblé en demi-cercle autour du gymnase, laissant un grand espace pour la première danse du roi et de la reine. Lorsque Daniel s'approcha du microphone, il ressentit l'attention et l'anticipation palpable de la foule, et sa peau se mit à picoter.

Daniel était content de porter des manches longues lorsqu'il sentit les poils de loup picoter et pousser sur ses bras.

Ce n'est pas grave. Je peux le faire !

— Salut, Pine Wood ! rugit-il dans le microphone. Nous avons une nouvelle chanson juste pour vous ce soir, et notre roi et notre reine du *Homecoming* vont danser pendant que nous la jouerons.

La foule rugit à son tour.

— Allez, Pine Wood !

Tous se mirent à applaudir chaudement, puis Daniel prit une grande inspiration.

Ça y est !

Il poussa un hurlement de *rock star*, sauta dans les airs et joua le premier accord de *Ah-loup l'amour*. Les tambours d'Otto se firent entendre derrière lui, forts et constants, puis Nathan suivit le rythme à la guitare. Alors que Daniel jouait le riff d'ouverture, il vit des têtes dans le gymnase bondé commencer à bouger au rythme de la musique. Même l'expression de la directrice Caine semblait moins méprisante que d'habitude.

— Rouge comme le feu, j'pourrais pas lui dire adieu…

Le moment de vérité était arrivé. Daniel se força à baisser les yeux et à regarder l'endroit où Debi se tenait à côté de la scène.

Elle le regardait avec un grand sourire, totalement ravie.

Il vit dans ses yeux qu'elle savait exactement pour qui cette chanson avait été écrite… et ça ne la dérangeait pas du tout !

De quoi avais-je peur pendant tout ce temps ?

Alors que l'exaltation l'envahissait, Daniel lui chanta le reste de la chanson.

Même si Justin et Riley avaient tout le plancher de danse à eux seuls, toute la foule dansait sur place. Lorsqu'il arriva au refrain, des centaines de voix s'élevèrent pour chanter avec lui, et il sentit un frisson de plaisir parcourir son corps.

Personne ne riait. Il n'avait pas joué de fausses notes. *Ah-loup l'amour* n'était pas nulle, après tout… et lorsqu'il vit Debi le regarder avec son grand sourire, il se rendit compte qu'il ne l'était pas non plus.

Daniel *rockait* !

Justin pouvait sentir son cœur battre rapidement contre sa peau alors qu'il s'approchait de Riley au centre du plancher de danse complètement dégagé. Il tendit une main moite pour prendre celle de Riley, puis il la laissa tomber immédiatement.

Est-ce que je l'ai serrée trop fort ? Je n'en ai aucune idée ! Danger, danger !

Il avala sa salive avec peine en essayant de maîtriser sa panique.

Je ne peux pas croire que j'ai la chance de danser avec Riley. Il ne faut pas que je bousille ça !

Son frère commença à chanter sur scène. Le son assomma Justin comme un ballon sur le terrain de football. Riley et lui étaient censés danser au lieu de rester là à se fixer.

Vas-y le p'tit loup ! Tu peux le faire ! Exécute le jeu !

— Justin ?

Le chuchotement de Riley reflétait la panique qu'il ressentait.

Tout d'un coup, son inquiétude pour elle prit le dessus.

— Qu'est-ce qui ne va pas ?

Justin s'approcha d'elle et pencha la tête pour que leur conversation demeure privée.

Ses yeux étaient pleins de larmes.

— Je ne peux pas faire ça ! dit-elle. Je ne peux pas danser devant tout le monde !

Justin fronça les sourcils.

— Riley…

Il secoua la tête, déconcerté.

— Tu peux faire n'importe quoi. Tout le monde le sait !

Elle baissa les yeux et mordilla sa lèvre.

— Regarde-moi ! Je me suis habillée pour jouer avec le groupe, pas pour être reine du *Homecoming*.

— Et puis ?

Justin regarda ses cheveux blonds brillants qui étaient ornés d'une barrette noire étincelante, puis ses pantalons et son tee-shirt noirs ajustés à l'effigie du groupe.

— Tu es magnifique à mes yeux, dit-il. Et n'oublie pas que presque tout le monde dans ce gymnase a voté pour toi. Ça veut dire que toutes ces personnes pensent que tu es pas mal cool aussi.

— Mais…

Riley ferma les yeux pendant un instant et prit une grande inspiration. Puis, elle regarda Justin droit dans les yeux avec une peine évidente.

— Justin, t'as pas remarqué le fait que je suis un peu… *maladroite* ?

Ses paroles étaient magiques. La panique de Justin disparut complètement, anéantie par une vague de fierté protectrice.

— Riley, dit-il, je n'ai jamais pensé ça de toi. Et tu vas très bien danser.

Cette fois-ci, il n'avait pas les paumes moites lorsqu'il prit sa main. Il referma ses doigts autour des siens comme pour sceller une promesse.

Depuis qu'il avait vu le Riley pour la première fois, toutes ces années auparavant, elle lui avait toujours paru si confiante et en maîtrise de soi. Mais maintenant, elle avait enfin besoin de l'aide de quelqu'un, et Justin n'allait pas la décevoir.

Il n'avait peut-être jamais dansé avec une fille auparavant, mais il avait vu des films et des émissions à la télévision. Il savait comment c'était censé se passer. Il s'approcha davantage d'elle et plaça leurs bras comme il avait toujours vu les danseurs le faire. Le souffle de Riley se coupa lorsqu'il mit sa main sur son dos, et son propre cœur se mit à battre plus rapidement lorsqu'elle posa la main sur son épaule.

C'est Riley. Je danse vraiment avec Riley !

Il n'avait jamais été aussi content des jeux de pieds qu'il avait appris en jouant au football. Il les fit bouger de l'avant à l'arrière en un magnifique cercle lent tout en guidant Riley au rythme de la ballade que son frère chantait sur scène. Au début, Riley était raide, et elle avait manifestement peur de faire une erreur ou de tomber. Puis, leurs regards se croisèrent, et elle sourit. Il la sentit se détendre dans ses bras et s'appuyer sur lui.

— Merci, dit-elle silencieusement.

Justin secoua la tête en lui souriant.

— Il n'y a pas de quoi, chuchota-t-il. Je suis heureux.

Nous dansons, se dit-il en se rendant compte qu'il souriait comme un idiot et qu'il s'en foutait complètement. *Et personne ne peut dire que c'est un «non-rendez-vous»!*

Peu importe à quel point son sourire était idiot, il sut que c'était officiellement devenu le sourire le plus idiot de tous les temps lorsque Riley — est-ce que c'était vraiment en train de se produire? — posa sa tête sur son épaule.

La musique de son jumeau se répandit dans le gymnase, et Justin se sentait comme s'il avait été transporté dans un rêve. Il fallait que ce soit un rêve. La vraie vie n'était *jamais* aussi géniale que ça!

Tandis qu'il se faisait cette réflexion, il remarqua un changement dans les mouvements de Riley. Il ne faisait pas que guider ses pas; il faisait bouger son corps immobile. En fait…

Il étouffa un rire alors qu'il baissait le regard sur son visage paisible avec les yeux fermés.

J'imagine que Riley rêve vraiment, maintenant!

Il n'était pas surprenant qu'elle se soit *enfin* endormie. C'était probablement la première fois qu'elle se détendait cette semaine-là.

À bien y penser, maintenant qu'il était aussi détendu, les jambes de Justin commençaient à sérieusement lui faire mal en raison de tous les exploits de faux loup-garou qu'il faisait depuis quelque temps — sans mentionner son gros jeu lors du match du *Homecoming*. Il aurait été heureux de faire une petite sieste, lui aussi.

Entre-temps, il se sentait incroyablement bien. Il pourrait peut-être s'appuyer sur Riley pendant une seconde… et ça ne ferait pas de mal s'il fermait ses propres yeux pendant un instant… Il pourrait reposer son visage dans ses doux cheveux… pendant une minute…

Daniel n'aurait jamais cru qu'il allait éclater de rire lors de son premier spectacle, mais lorsqu'il regarda le couple au centre du plancher de danse, il dut lutter pour ne pas pouffer de rire au beau milieu de sa propre chanson d'amour.

Aux yeux de tous, Justin et Riley dansaient très, très lentement, mais Daniel avait une ouïe de loup et ne pouvait pas être dupé. D'après leur respiration rythmique, il était évident que les deux s'étaient endormis. En fait, ils seraient tombés tous deux s'ils n'étaient pas appuyés l'un sur l'autre.

Daniel fit un grand sourire. Il pourrait peut-être utiliser cette ligne dans une chanson!

Mais pour l'instant, il était temps de terminer *Ah-loup l'amour* avec sa propre touche spéciale : des hurlements de loup lors du refrain final! Il pencha la tête vers l'arrière et se laissa aller. Les hurlements le traversèrent, sauvages et libres, et il fut envahi par le sentiment qu'il était à sa place, tout comme lors du premier rassemblement des loups-garous.

D'accord, il n'avait jamais planifié être loup-garou. Il ne correspondait peut-être même pas à ce qu'un loup-garou devait être, mais tandis que les hurlements jaillissaient de sa poitrine, Daniel était certain d'une chose : il était exactement celui qu'il devait être... peu importe ce que les autres en pensaient.

Il ouvrit les yeux à la fin de la chanson et vit que Kyle lui lançait des regards soupçonneux, les yeux plissés, à partir du plancher du gymnase.

— Ce sont des hurlements très réalistes, Packer… *Daniel* Packer, crut-il l'entendre marmonner sous les applaudissements déchaînés.

Daniel conserva son sourire idiot en faisant semblant qu'il n'avait pas entendu ce que Kyle avait dit. Il dut se concentrer au maximum pour ne pas regarder dans sa direction. S'il le faisait, Kyle saurait que Daniel avait entendu…

Et alors, Kyle saurait la vérité!

Je dois agir de façon normale, se dit Daniel. *Peu importe ce qui passe pour « normal » à Pine Wood.*

Il salua la foule, qui applaudissait toujours. Au centre du plancher de danse, Riley se réveilla brusquement en entendant le bruit. Daniel l'entendit reprendre son souffle alors qu'elle se redressait en essayant désespérément de récupérer son apparence soignée. Malheureusement, elle ne réussit qu'à déplacer sa barrette qui pendait maintenant dans ses cheveux de façon bizarre et qui donnait l'impression que ceux-ci étaient de travers. Daniel dut s'empêcher de rire une fois de plus.

Ça ne semblait vraiment pas déranger Justin. Aussitôt qu'il s'était réveillé et qu'il l'avait vue, il avait fait un sourire aussi idiot que celui que Daniel avait fait auparavant. Il était difficile de savoir quel jumeau était le plus fou de joie à ce moment-là. Daniel songea à s'esquiver discrètement lorsqu'il entendit Kyle parler à ses amis du prochain match. Le quart-arrière semblait avoir oublié ses soupçons.

Le premier vrai spectacle de Daniel avait été une réussite... et sa nouvelle chanson aussi. Alors que Debi lui souriait depuis la foule, vêtue de sa robe et de ses gants de superhéroïne, Daniel se rendit compte d'une autre chose : il était peut-être temps qu'il prenne plus de risques.

Le moment était peut-être venu de prendre le plus grand des risques.

Il est peut-être temps d'arrêter de lui cacher la vérité.

Si Debi pouvait l'accepter en tant qu'inconditionnel rockeur débraillé, elle pourrait peut-être aussi accepter le fait qu'il était un loup-garou.

Elle était si cool qu'il était enfin prêt à croire qu'elle pourrait le faire.

Les méditations de Mackenzie

Pour vous rapporter toutes les nouvelles IMPORTANTES de l'école secondaire Pine Wood.

Bonjour ! Voici le plus récent numéro des *Méditations de Mackenzie* écrit par MOI, Mackenzie Barton.

Cette semaine, notre numéro traitera de notre bal du *Homecoming,* et je dois commencer par vous dire à quel point ça ne me dérange PAS de ne pas avoir été choisie comme reine du *Homecoming.* Ça ne me dérange pas du tout. Vous savez probablement déjà que, dans des circonstances absolument démentes, Riley Carter a gagné PAR QUELQUES VOTES… malgré le fait qu'elle ne SAVAIT MÊME PAS QU'ELLE AVAIT ÉTÉ NOMMÉE ! (Oups, j'ai oublié d'enlever les majuscules. Peut importe !)

Malheureusement pour « Sa Majesté », sa danse n'a pas vraiment été légendaire. On ne peut que se demander si « notre » reine aurait été plus à sa place sur scène avec son groupe au lieu d'être sur le plancher de danse. Je ne dis pas que Dans la bergerie était mauvais, ni quoi que ce soit de la sorte. C'est seulement que je ne suis pas sûre que tous ces *hurlements* étaient le bon choix pour un bal qui avait besoin de plus de rose et de moins de noir.

Et puisqu'on parle d'agencement de couleurs, je vais vous dire ce qui est *hot* et ce qui ne l'est *totalement* pas :

* **Violet et orange** : c'est *in* ! Ces couleurs vont vraiment bien ensemble. Noir sur noir : c'est *out*. Ce n'est pas de l'agencement ; c'est de la paresse !
* **Barrettes** : elles sont *in*. Corsages : *out*. (Plus de plumes, moins de chic de la jungle.)
* **Sandales à lanières** : *in*. Talons aiguilles : *out*. (Plus de danse, moins de trébuchements — à moins d'être Riley Carter, qui pourrait trébucher même si elle était couchée par terre !)

Maintenant que ceci est dit, de quel autre sujet pourrais-je vous parler ? Eh bien, il y a la robe que j'ai portée au bal. Une robe violette avec un magnifique châle orange. Je portais ma barrette sur le côté. Comme ça, si j'avais eu à porter une couronne, ma coiffure haute sublime n'aurait pas été dérangée. Elle aurait été parfaite pour une reine. Mais je ne me plains pas, bien sûr. J'ai TELLEMENT aimé mon ensemble que je vais peut-être le porter une DEUXIÈME FOIS.

Dernière méditation de Mackenzie. J'ai enfin eu ma copie Blu-ray de *The Groves* avec mon acteur préféré, Jackson Caulfield. J'ADORE ce film si… drôle et attendrissant. Je pense aussi que tout le monde devrait se calmer avec toute cette haine envers Jessica Phelps. Oui, j'avoue qu'elle a dit des choses méchantes aux Prix Bright Star, plus tôt cette année, mais parfois, dire ce que l'on pense est un signe de bravoure. Mes amies meneuses de claque disent souvent que je suis TRÈS brave.

En tout cas, si vous n'avez pas vu *The Groves*, vous devez sérieusement AMÉLIORER VOTRE VIE immédiatement et aller le voir.

Je dois arrêter, maintenant, mais je ne serais jamais assez cruelle pour vous quitter sans le prochain épisode de…

Les murmures de Mackenzie!

Là où moi, Mackenzie Barton, je fais briller ma «lumière de vérité» sur les secrets que mes pairs préféreraient garder cachés…

Les murmures de la semaine :

* L'un des étudiants de secondaire 3 a vraiment besoin d'une coupe de cheveux. Tu sais qui tu es.

* Nous nous attendions à ce qu'il y ait de l'amour dans l'air au bal du *Homecoming*, mais ce n'étaient pas les étudiants qui étaient dans les pommes. Nous avons eu de nombreux rapports selon lesquels deux enseignants se faisaient de beaux yeux de part et d'autre du plancher de danse. Soyez prudents, mademoiselle XX et monsieur XX — vous n'êtes pas les ninjas de la romance que vous croyez être!

* L'Halloween aura lieu dans quelques semaines. Quelles sont les chances pour que la moitié des membres de l'équipe de football se déguisent en loups-garous… *encore*? Gros soupir. Ils devraient suivre

mon exemple et faire preuve de créati-
vité. L'année passée, je me suis déguisée
en fée, et les membres de mon équipe de
meneuses de claque aussi. L'année pré-
cédente, nous étions déguisées en prin-
cesses. Et l'année avant celle-là, nous
étions des fées-princesses. Utilisez votre
imagination, les gars!

COMMENTAIRES
SUR CET ARTICLE :

DANIEL PACKER dit : Mackenzie, j'aime
mes cheveux comme ils sont, d'accord?

MILO LE « VERTUEUX » dit : Es-tu
folle? Ce groupe était complètement
NUL. Qui veut entendre des chansons
d'amour à un bal? C'est un SCANDALE
qu'ils aient été choisis. Une vraie blague.

Ne manquez surtout pas la suite…

www.ada-inc.com
info@ada-inc.com

www.facebook.com/EditionsAdA

www.twitter.com/EditionsAdA